P9-DFV-373

POURQUOI TU DANSES QUAND TU MARCHES ?

Du même auteur :

Aux éditions Zulma :
La Divine Chanson, roman, 2015, Prix Louis Guilloux.

Aux éditions Jean-Claude Lattès :
Passage des larmes, roman, 2009.
Aux États-Unis d'Afrique, roman, 2006, Babel, 2008.

Aux éditions Gallimard, collection « Continents noirs » :
Transit, roman, 2003.
Rift, routes, rails, variations romanesques, 2001.

Aux éditions du Serpent à plumes :
Moisson de crânes, essai, 2000, Motifs, 2004.
Balbala, roman, 1997, Folio, 2002.
Cahier nomade, nouvelles, 1994, Motifs, 1999. Grand Prix littéraire d'Afrique noire.
Le Pays sans ombre, nouvelles, 1994, Motifs, 2000.

Aux éditions Pierron :
Les nomades, mes frères, vont boire à la Grande Ourse, poème, 2000.

Aux éditions Centre culturel français Arthur-Rimbaud, Djibouti :
L'Œil nomade, 1997.

www.editions-jclattes.fr

Abdourahman A. Waberi

POURQUOI TU DANSES QUAND TU MARCHES ?

Roman

JC Lattès

Maquette de couverture : Fabrice Petithuguenin.

ISBN : 978-2-7096-6556-8
© 2019, éditions Jean-Claude Lattès.
Première édition août 2019.

À ma mère Safia, ma grand-mère Jim'aa,
ma tante Gayibo et mon père Awaleh.

« Les choses que nous imaginons être les plus personnelles sont les plus partagées. »

Carl Rogers

Tout m'est revenu.

Je suis cet enfant qui nage entre le passé et le présent. Il me suffit de fermer les yeux pour que tout me revienne. Je me souviens de l'odeur de la terre mouillée après la première pluie, de la poussière dansant dans les rais de lumière. Et je me souviens de la première fois où je suis tombé malade. Je devais avoir six ans. La fièvre m'a fouetté toute une semaine. Chaleur, sueur et frissons. Frissons, chaleur et sueur. Mes premiers tourments datent de cette période.

Un petit matin, à Djibouti, au début des années 1970. Ma mémoire me ramène toujours à ce point de départ. Aujourd'hui, mes souvenirs sont moins embrumés parce que j'ai su déployer des efforts pour remonter le cours du temps, remettre un peu d'ordre dans le fatras de mon enfance.

De nuit comme de jour, la fièvre m'assaillait des orteils à la pointe des cheveux. Un jour elle me faisait vomir. Le lendemain je délirais. Je me méprenais sur les mots et les soins que mes parents me prodiguaient. Je jugeais mal leurs gestes. La faute en incombait à la douleur et à mon tendre âge. La fièvre a joué avec mon corps comme les fillettes de mon quartier avec leur unique poupée de chiffon.

Six nuits et six jours durant, j'ai tremblé. J'ai déversé toute l'eau de mon corps allongé sur ma natte le jour, puis sur mon petit matelas posé à même le sol le soir. La température grimpait à la tombée de la nuit. Je pleurais de plus belle. J'appelais Maman à la rescousse. Impatient, je bouillais de rage. Je n'aimais pas quand elle me laissait tout seul. Sous la véranda, les yeux fixés sur le toit d'aluminium. Je pleurais jusqu'à l'épuisement. Enfin Maman arrivait. Mais je ne trouvais plus le moindre réconfort dans les bras de ma mère Zahra. Elle ne savait quoi faire de moi. Une décision, vite, réclamait la petite voix qui s'emparait d'elle dans ces moments de panique.

Alors ? Alors, elle confiait le petit sac d'os et de douleur que j'étais à qui se présentait devant elle.

Qui ? Qui ?

Fais vite, l'implorait la petite voix.

Alors elle me lançait comme un vulgaire paquet,

dans les bras de ma grand-mère,

ou dans ceux de ma tante paternelle Dayibo qui avait l'âge de ma mère,

ou dans le giron d'une bonne qui passait par là.

Puis dans celui d'une autre femme,

une tante,

une parente,

ou une bonne,

ou encore une voisine ou une matrone venue saluer Grand-Mère.

Je passais ainsi de bras en bras,

de poitrine en poitrine.

Mais je pleurais toujours,

de douleur,

de colère

par habitude, aussi.

L'aube arrivait, le plus souvent, à mon insu. Je tombais de fatigue. Je dormais un peu en reniflant, en m'agitant dans mon sommeil. Je me réveillais lorsque les premiers rayons de soleil réchauffaient la toiture d'aluminium. Je poussais des cris de douleur et de colère en frissonnant. Et je réveillais tout le monde.

Ma mère se levait d'un bond, se mouchait longuement. Peut-être ne voulait-elle pas que je la surprenne en train de pleurer. Dans ses yeux je percevais l'éclair de panique que j'avais déjà surpris sur son visage.

Dehors, la ville était déjà animée. J'entendais les enfants de mon quartier du Château-d'Eau partir à l'école. Ils avaient l'air joyeux, désobéissants et bruyants. Moi, j'étais allongé sur mon matelas. Fiévreux. Je sanglotais à nouveau.

J'agitais mes bras décharnés, en vain. Maman reniflait en silence, un éclair de panique à nouveau dans la prunelle. Elle trouvait la parade en me jetant dans les bras de la première venue.

Ceux de Grand-Mère,

ou ceux de ma tante paternelle,

ou dans les bras de la voisine.

Puis d'une autre,

encore d'une autre.

Et le cirque recommençait.

Le petit reniflement, la peur panique, l'éclair d'un instant.

Et je passais de bras en bras,

comme un tas de fagot.
Pourquoi Maman me détestait-elle autant ?

Cette question, je n'osais pas me la poser. Ce n'est que plus tard qu'elle s'immiscera dans mes pensées.

Elle se logera dans mon cœur. Elle y creusera son trou noir.

Tous les matins, Maman me confiait à ma grand-mère qu'à l'adolescence j'ai surnommé Cochise, en hommage à un célèbre chef indien.

Grand-Mère donc.

C'était elle, le chef suprême de la famille. Elle faisait régner une loi de fer comme une guerrière apache sur ses troupes éparpillées. Presque aveugle, grand-mère Cochise se tenait droite et immobile derrière un voile invisible aux autres. C'était une grande femme robuste aux traits fins, mais rabougrie par la vieillesse. Elle entendait, goûtait et sentait mieux que tout le monde. Son front était dévasté par les rides, son visage plus fripé que la peau du caméléon. Ses sourcils se fronçaient dès qu'elle entendait ma voix fluette.

Elle avait le flair des chiens bergers et me reniflait avant de me reconnaître. Elle n'avait plus qu'à tendre les bras, m'attraper par la peau de la nuque comme une chatte un chaton. Sans efforts elle me ramenait dans son giron. Et moi je n'avais plus qu'une chose à faire : me caler contre elle pour me calmer. Je devais me tenir tranquille sans bouger, sans verser une seule larme. Mais c'était impossible. J'étais né avec les yeux humides et rouges. Je craquais assez vite. Implacable, la sanction tombait sur mes épaules.

Chaque reniflement était suivi d'un coup d'œil sombre et menaçant. Chaque pleur d'une remontrance. Puis les coups de canne sur le crâne, les clavicules, les coudes et les orteils. D'un coup sec elle savait me faire hurler de douleur. Je sanglotais, sanglotais jusqu'à l'étouffement. Les jours se suivaient et se ressemblaient en ce temps-là. Je retenais ma respiration. Je lançais au loin mon esprit tel un lasso. De fatigue, je tombais au milieu de la matinée et m'endormais enfin. Les yeux de Grand-Mère se fixaient sur les rares passants dont elle avait perçu les pas bien avant qu'ils n'arrivent à notre hauteur. Ces hommes et ces femmes ne manquaient pas de saluer la matrone qui hochait la tête après chaque formule de salutation.

Le passant : Comment va le petit ?

Elle : Le Clément veille sur lui, on ne peut pas s'en plaindre aujourd'hui.

Le passant : Et vos vieux os ?

Elle : S'ils craquent, c'est qu'ils sont vivants.

Le passant : Par les Anges du Ciel, vous allez nous enterrer tous, n'est-ce pas ?

Elle : J'y compte bien.

Le bol de mil que je n'avais pas honoré traînait encore un peu. Un quart d'heure plus tard il faisait le bonheur d'un petit garçon ou d'une fillette du voisinage. Pour une fois, Grand-Mère, sollicitée par les uns et les autres, ne me grondait pas. Il ne devait pas être loin de dix heures de la matinée lorsque l'agitation dans le quartier montait d'un cran. Maman revenait du marché. Elle prenait un tabouret, s'approchait de la vieille pour lui donner des nouvelles d'une parente convalescente, délivrer un message transmis par l'imam du quartier ou se plaindre de la hausse du prix de la viande. Grand-Mère l'écoutait. Rien ne semblait l'ébranler.

Je n'avais pas droit à un regard de ma mère. Recroquevillé aux pieds de grand-mère Cochise, je tremblais de fièvre. J'avais beaucoup de rancune pour cette mère qui se tenait à distance de mon petit corps rabougri sur la natte. Je tentais de me calmer pour donner raison à Grand-Mère et troubler davantage Maman. Je contemplais les badauds dans la rue depuis un angle de vue particulier. J'avais une vue imprenable sur un paysage singulier : les ongles racornis des orteils de ma grand-mère.

J'avais quarante-cinq ans quand tu es entrée dans ma vie, Béa. Enfant du désir, tu as pris le temps nécessaire avant d'arriver sur terre en fanfare.

Enfant, je n'avais jamais eu de petit animal en peluche, en paille ou en carton. Je n'étais pas un bébé sain, fort et bien nourri comme toi. J'étais maigre et maladif. Pour mettre un terme à mes pleurs, il n'y avait souvent qu'une solution. Ma mère avait fait cette découverte par le plus grand des hasards. Les grandes trouvailles scientifiques comme l'aspirine ou la pasteurisation sont filles du hasard, va savoir pourquoi ? Un soir qu'elle était fatiguée de m'entendre geindre, ma mère m'a plongé dans une cuvette blanche remplie d'eau fraîche, à l'ombre de la véranda. Aujourd'hui, je revois cette scène avec une certaine émotion. En te la racontant, je sens mon corps parcouru de frissons. Les larmes ne sont pas très loin.

Avant d'atterrir dans la cuvette, j'avais eu l'impression d'étouffer tant ma gorge était serrée. La suite se terminait toujours de la même manière : je grelottais de froid, l'eau fraîche ramollissait ma peau. Si ma mère en était arrivée à cette solution radicale, c'est qu'elle avait usé de toutes les ruses possibles sans parvenir à calmer l'affreux pleurnichard que j'étais. La nuit, avant de me déposer sur ma petite natte, elle me racontait toutes sortes d'histoires. Des contes sur des enfants obéissants, d'autres sur des animaux dociles ou des plantes affectueuses. Les histoires s'enchaînaient. Nous étions les deux seuls êtres à nous agiter alors que toute la ville dormait à poings fermés.

À ta naissance, Béa, un détail a attiré mon attention : tu avais des grandes oreilles, un peu comme Barack Obama. Ton petit visage était masqué par tes grands cils. Tu gigotais beaucoup. En tremblant, j'ai ausculté tes membres. Dieu merci, tu étais bien portante.

Labourée par la douleur, encore dans les vapes, ta mère est enfin sortie des brumes qui l'enveloppaient pour me demander le sexe du bébé.

Moi, fier comme un paon : « C'est une fille ! »

Et tu as poussé ton deuxième cri.

C'était devenu une habitude chez toi.

Tu t'époumonais pour un oui ou un non.

Tu tenais à ce que ta mère et moi t'obéissions au doigt et à l'œil. En matière de mélange explosif, tu es championne toutes catégories. Au sang suisse milanais et sicilien de ta mère, il faut ajouter mon sang africain et pas paresseux du tout car mes ancêtres étaient nomades et, aujourd'hui encore, à la course à pied, ils continuent de battre tout le monde.

À quatre ans tu étais une fillette souriante, curieuse et dynamique. Tu t'époumonais toujours pour un oui ou un non. Les yeux humides, Margherita te couvait d'un amour expansif et méditerranéen. Chez elle, tu peux passer facilement des rires aux larmes, des cris aux chants. À vous deux, vous faites la paire. C'est un carnaval permanent. J'essaie de tempérer et les élans de la mère et ton entrain pour trouver un juste milieu, calme et régulier comme le cours d'une rivière batave. Je n'y parviens presque jamais. Il ne me reste plus que la bouderie dans ces cas-là. Je boude mais alors deux voix se liguent pour me sortir de cet état.

Quand je n'étais pas en déplacement en province ou à l'étranger, c'est moi qui avais le privilège de te conduire à l'école. Et c'est moi qui te ramenais de l'école en fin d'après-midi. J'affectionnais beaucoup ce temps à nous, ces quinze minutes de trajet à l'aller et au retour. Dès le matin, tu en posais des questions. Petite diablesse en jupons, tu semblais oublier que je suis lent. Surtout le matin. Il me faut du temps avant d'atteindre ton niveau de conversation. Tu avais quatre ans et pas la langue dans ta poche. La rumeur de la ville n'avait pas de prise sur notre tête-à-tête. Nous étions seuls au monde. Je n'avais d'yeux que pour toi, Béa. D'ouïe que pour notre conversation. Une conversation que tu agrémentais de chansons et de rires, selon ta météo personnelle.

— Papa, est-ce que médecine c'est une femme docteur ?

— Mmmh…

— Ma copine Laëtitia, elle dit que c'est ça pour de vrai…

Nous franchissions un bout du 10e arrondissement, et trois rues plus loin nous atteignions le 9e. Presque tous les jours, nous rencontrions les mêmes passants pressés, les mêmes commerçants chinois arrosant le seuil de leur bar-tabac, les mêmes bambins dans des poussettes, les mêmes adolescentes en trottinette. À tes yeux, tout pouvait prendre *allegro* un tour magique. Un rien captait ton attention si vive dès le saut du lit. Enjouée, tu saluais de la main d'abord, puis criais « Salut les soldats ! » aux quatre hommes en faction, treillis et mitraillettes au poing, qui, d'un pas lourd, arpentaient la rue menant à la synagogue du quartier. Les soldats répondaient à tes salutations. Et voilà que nous sentions de l'impatience dans notre dos. Des passants plissaient le front et d'autres s'agaçaient parce que nous déambulions sur notre bout de trottoir au lieu de marcher à leur cadence frénétique. Pourquoi hâter le pas alors que nous avions la vie entière devant nous ? Collés à leur portable, ces gens bousculaient tout le monde dans la rue comme dans les couloirs souterrains du métro. Nous étions nonchalants et bavards certaines matinées et étrangement silencieux d'autres. Ces moments de complicité étaient les plus privilégiés de la journée.

Un matin alors que je te conduisais à l'école, tu m'as posé une question en mettant le maximum d'attention et d'affection dans le ton de ta voix. Sans préjuger de l'objet de l'interrogation, je savais que cette question devait avoir beaucoup d'importance pour toi. Et sans doute pour moi aussi.

Tu as pris tout ton temps, ménageant un long silence synonyme de suspense. Au fond de moi, un petit vent d'impatience montrait le bout de son nez. J'essayais de paraître naturel. Aucun mot n'était autorisé à sortir de ma bouche tant que tu gardais le silence. Nous étions tout près de ton école. Un passage pour piétons, puis une station Vélib et il ne nous restait plus qu'à traverser le carrefour, longer la rue, entrer dans le bâtiment au portail bleu éclatant. Une fois à l'intérieur, les parents étaient souvent surpris par la taille modeste de la cour pavée mais aussi par la blancheur des murs qui donne à l'édifice une allure élégante.

De l'impatience je commençais à m'orienter vers les rives de l'inquiétude. Après le silence, tu m'as souri comme pour mettre un terme à mon angoisse naissante. Soudain, tu as lâché assez brutalement :

— Papa, pourquoi tu danses quand tu marches ?

— Euh…

Ma surprise n'était pas feinte. Tu es revenue à la charge.

— Si, si.

Je n'ai eu pas la force de protester.

— Tu danses comme ça quand tu marches, tu vois ?

Et toi de joindre le geste à la parole, de chalouper avec ostentation devant moi. J'essayais de remettre de l'ordre dans mes pensées. J'étais touché. J'avais un voile humide devant les yeux. Et la nette impression que les murs de Paris me renvoyaient tes mots dans les oreilles. Je sentais une pointe de cruauté dans ta voix, Béa. Les anciens nomades qui composent mon arbre généalogique disent que la vérité sort de la bouche des enfants et que la gratitude se lit dans les yeux de la vache qui vient de vêler. Cet adage que je trouvais hier idiot ne m'a jamais paru aussi juste que ce matin-là. Toi, ma fillette, tu me renvoyais la vérité avec une dose d'affection non dénuée de fermeté.

Tes mots continuaient de tournoyer dans ma tête.

Je ne pouvais plus me dérober.

En prenant la dernière ligne droite qui mène à ton école, j'ai salué de la tête un parent. Tu m'as tiré par la manche de ma veste pour me signifier que tu avais reconnu le parent pressé. Mon cerveau venait de faire un tour pour revenir à ta question. Et je me suis demandé pourquoi je danse depuis toutes ces années alors qu'il n'y avait qu'une chose à faire.

Une chose,
une seule.
Marcher,
marcher droit,
comme tout le monde.

Au moment de pousser la porte de l'école, tu avais dû sentir mon tourment puisque tu as repris le dialogue sur un ton plus léger.

— Papa, tu sais rouler en trottinette ?

— Peut-être… je n'ai jamais essayé.

— Papa, tu sais faire du vélo ? Comme maman !

— …

— Moi je sais faire du vélo. Toi, je ne t'ai pas vu sur un vélo.

La vieille photo jaunie avec le temps, c'était une idée de Margherita. Elle voulait que je te présente mes parents et mes grands-parents. Pour tes cinq ans, c'était un beau cadeau. Et tu as joué le jeu. Tu as passé en revue les différents personnages. Je ne fus pas surpris quand tu m'as dit : « Papa, t'as vu ? Ta maman est courte sur pattes ». C'était ça ta première remarque ? Rien d'autre à signaler en scrutant le vieux cliché. *D'accordo*, comme dirait ta fantasque mère, je dois reconnaître que tu n'as pas tort sur la taille de ma mère. Petit, j'avais un problème avec ça. Pendant des années, je me disais que j'aurais pu être grand et fort comme un Viking… si seulement ma mère n'était pas plus proche du

Pygmée que du Viking. Tous les soirs, je sautillais dix minutes avant de me coucher car Kassim, un grand dadais de neuf ans de la rue Paul-Fort, m'avait dit que les arbres usent de cette technique pour tutoyer les cieux. Mes sauts de cabri n'ont rien donné. En grandissant, je fus obligé d'avaler cette couleuvre et bien d'autres encore. Tu verras Béa, tu en avaleras toi aussi, un jour ou l'autre. Cette photo n'était qu'un premier pas. Tu voulais connaître tes ancêtres, tu avais raison. Tu m'as tanné des jours et des nuits pour que je te parle de mes parents.

Je vais te raconter le pays de mon enfance. Et tu les auras toutes, les histoires qui ont marqué mes jeunes années. Je te parlerai de mes vieux parents. Je te parlerai de mon passé et je répondrai à la question que tu m'as posée. Je te parlerai du désert mouvant autour de Djibouti, ma ville natale. Je te parlerai de la mer Rouge. Je te parlerai de mon quartier et de ses maisonnettes au toit en tôles d'aluminium. Peut-être le trouveras-tu pauvre et sale, et peut-être n'oseras-tu pas me l'avouer. La dernière fois où j'y suis allé, il était très sale en effet. Il n'y avait pas autant de satanés bouts de plastique dans les ruelles du temps de mon enfance.

Sur la photo, qui as-tu reconnu du premier coup d'œil ? Zahra, ma mère et ta grand-mère. Je sais que tu l'as vue d'abord en photo. Puis tu l'as rencontrée en chair et en os chez mon petit frère Ossobleh, ton oncle de Bordeaux que tu adores. Tu avais quoi, deux ans et demi ? Avait-elle la bouche partiellement édentée ? Figure-toi que cette femme fut longtemps mon unique aiguillon. Le point de mire de mes attentions. Mon amour et ma terreur aussi.

Soudain, tu m'as arraché la photo des mains pour la rapprocher de ton visage poupin. Puis de tes yeux comme si tu voulais grossir au microscope chaque ligne, chaque grain de la peau de mes parents. Je crois que j'ai vu une larme sur ta joue. Tu caressais du doigt le visage de mon père. Papa la Tige, comme je l'appelais au temps de mon enfance, se tenait droit comme la justice. Digne et beau. La trentaine. Une fine moustache d'époque. Il portait un pantalon kaki bien repassé et une chemise à manches longues. L'absence de couleur aplatissait les motifs à carreaux de la chemise boutonnée tout en mettant en relief les deux plis du pantalon qui descendaient jusqu'aux chaussures d'un noir luisant, éclairé par quelques taches blanchâtres. La nuque droite, les traits du visage détendus, les yeux de mon père étaient fixés sur l'objectif. Sans doute avait-il obéi au photographe de quartier habitué à imprimer sur la pellicule les grandes et les petites joies de la vie de tous les jours. Tu remarques qu'il ne souriait pas franchement. Comment t'expliquer que les selfies et les réseaux sociaux n'existaient pas du temps de ton grand-père, qu'on se tenait toujours solennel comme un premier communiant devant le photographe courbé. Si ton grand-père avait eu l'idée saugrenue de faire des grimaces dans le salon, le photographe l'aurait congédié sur-le-champ, en l'invitant à faire ses singeries chez un concurrent. Voilà pourquoi il s'est habillé convenablement pour poser devant le photographe. Pas de torse nu, pas de bikini ni de sandales. Dans les pays chauds, les gens s'habillent de la tête aux pieds. Il n'y a que les Occidentaux pour se mettre à poil dès qu'ils sentent le soleil leur chauffer un petit peu la couenne.

Papa travaillait beaucoup.
Loin de chez nous.
Loin de la ville indigène.

Il vendait des bibelots aux Français et aux rares touristes étrangers. Sa petite boutique encombrée de statuettes, de tapis marocains, de corbeilles et autres articles de vannerie se trouvait au Quartier 1, en bordure de la vraie ville administrative et commerciale. La ville haute et blanche. Dans cette partie de Djibouti, il y avait à l'époque un grand hôpital doté de tous les services, y compris une morgue. Des Blancs, des Arabes et des Noirs comme nous autres s'y côtoyaient, marchant dans la rue épaule contre épaule. À la tête de tout ce monde, il y avait un Blanc qu'on appelait le Haut-Commissaire. Il portait un costume blanc et un képi blanc agrémenté d'un petit ruban bleu et rouge pour bien faire comprendre à tout le monde que c'était lui le grand chef. Non seulement le chef des Blancs mais également celui des Arabes et des Noirs africains comme notre famille. J'ai compris tout cela, des années plus tard, lorsque j'ai franchi la grille du collège de Boulaos.

Tard dans la nuit, Papa rentrait du travail. À peine avait-il franchi le seuil que grand-mère Cochise se levait d'un bond et prononçait son prénom en l'étirant comme un fil élastique.

Aaaammmmmiiiinnnneeee !

Comme si elle lâchait tout d'un coup les mots qu'elle avait économisés la journée durant. C'était sa manière à elle de nous dire qu'elle était désormais rassurée et qu'elle irait bientôt se coucher. En chef apache, elle sonnait le clairon signifiant la fin de toute activité.

Grand-Mère n'était pas peu fière de son fils Amine même si elle essayait de cacher ce sentiment qui échappait à son contrôle par ailleurs efficace. À cette époque, je ne savais pas que Grand-Mère pouvait éprouver de l'admiration pour quelqu'un d'autre que le Prophète barbu et les vieux totems de nos ancêtres.

Tard dans la nuit, moi aussi, je guettais l'arrivée de Papa. Je l'attendais comme le messie. Un messie familier et motorisé.

Enfin, je l'entendais arriver,
comme dans un songe.
Papa la Tige n'était plus loin.

L'arrivée de mon père était annoncée par une série de bruits, les uns plus distincts que les autres. Sur des kilomètres, dans la fraîcheur de la nuit, on pouvait entendre sa mobylette Solex pétarader. Puis c'étaient les crissements du freinage qui emplissaient de joie mon petit cœur de pleurnichard. Ensuite, son pas résonnait dans la cour. Les bruits dans la salle de bains me parvenaient très clairement. Le bruit de suçon du tuyau plastique relié au robinet. L'eau qui coulait par à-coups dans la bassine et faisait toc-toc-toc. Papa prenait donc sa douche après une longue journée et une soirée de travail.

La présence de mon père apaisait tout le monde. Une fois qu'elle avait crié son prénom, Grand-Mère retombait dans son état d'hébétude habituelle. Ma mère s'affairait dans le coin qui servait de cuisine et qui sentait la gazoline. Elle en ressortait avec un plat de haricots aux tomates ou une soupe de pois chiches baignant dans le beurre clarifié. Il n'était pas loin de dix heures lorsque Maman posait délicatement l'assiette de haricots et la baguette de pain devant le tabouret sur lequel mon père allait s'asseoir après sa douche. Dans mon souvenir, je le revois inconfortablement assis sur son tabouret qui aurait convenu à un adolescent. Je revois Papa Amine coupant la baguette en deux, tenant un bout dans une main et glissant l'autre sous son tabouret. Les jambes bien écartées, les genoux lui caressaient les joues tandis que le dos se tenait sur son axe droit.

Mon père, tu l'as compris Béa, était grand et sec. Il disait qu'il était presque aussi grand que le général de Gaulle et que ma mère était plus petite que son épouse que les Français appelaient affectueusement Tante Yvonne. Papa ajoutait qu'il connaissait beaucoup de gens qui, chez nous aussi, vouaient une affection sans bornes à Mme de Gaulle. Il t'apprendrait, si tu avais eu la chance de sautiller sur ses cuisses, que les gaullistes de chez nous étaient à cette époque aussi nombreux que les grosses pierres noires dans le désert de Djibouti. Ils se sentaient parfois plus Français que les Français de France et pourtant ils n'avaient jamais vu la tour Eiffel ni porté l'uniforme des anciens combattants. Ils se sentaient fils et filles du TFAI et se distinguaient fièrement de ceux qui, chez nous, jouissaient du statut de résidents temporaires et qui nous venaient de pays voisins comme la Somalie, l'Éthiopie ou le Yémen. Ceux-là restaient légalement des étrangers et les militaires pouvaient les expulser du jour au lendemain. Et nous, ajouterait ton grand-père, nous étions les vrais enfants du TFAI et nous avions la chance de léguer notre statut à nos enfants et à leurs enfants.

TFAI, voilà le nom que portait notre pays lorsque j'étais un nourrisson.

Territoire français des Afars et des Issas.

Tu as vu d'abord en photo ta grand-mère Zahra, puis tu as eu le bonheur de rencontrer ma mère courte sur pattes comme tu le dis malicieusement. Tu as fait virtuellement connaissance avec Amine la Tige, ton grand-père disparu. As-tu été surprise par son vieux cyclomoteur pétaradant ? Enfin, ma grand-mère à l'allure de grand sachem indien. D'elle, il ne subsiste aucun cliché et donc il te reste à imaginer ses traits. Son nez aquilin peut te servir d'aiguillon.

Je t'ai parlé de ces trois êtres en glissant, ici et là, une odeur, une sensation ou un mot me venant du pays de l'enfance. En discutant avec toi, je me rends compte que tout me revient au présent de manière sensible et vivace. Comme dans un film où les scènes défilent dans le désordre. Que l'histoire du film démarre par la fin ou au milieu d'un épisode n'altère pas la qualité de mes souvenirs. J'ai des images nettes imprimées dans mon cerveau.

L'odeur du père, par exemple,
mélange de sueur, de benzine et de tabac froid.
Sans oublier les bruits de la nuit.
Ou les froufrous des papillons.
Ou la danse du gecko sous la lumière blafarde du néon suspendu au milieu de la courette.
Tous les soirs, le gecko était là, fidèle au rendez-vous, dansant pour moi ou dansant parce que c'est tout ce qu'il sait faire.
Lui il dansait quand moi je pleurais loin des bras de ma mère.
On dit que chaque être possède un secret.
Chaque secret a sa clef.
Elle apparaîtra devant tes yeux tôt ou tard.

Je revois mon père sortir de la salle de bains. Une pièce sombre et exiguë avec un trou au milieu, on appelle ça toilettes à la turque, va savoir pourquoi !

C'était toujours la même histoire. Papa sortait de la salle de bains. Ses pas étaient plus légers, il avait enlevé ses chaussures noires et enfilé des sandales en peau de chèvre comme en portaient jadis nos ancêtres nomades. J'entendais enfin le son de sa voix. Une basse continue. Douze ou quinze minutes plus tôt, il avait annoncé qu'il partait « se mouiller », c'était son mot pour « se laver ». Rafraîchi et torse nu, il revenait en silence.

Mon cœur battait la chamade.

Je voulais qu'il se penche sur moi.

Pour me caresser la joue.

Calmer mes angoisses.

Me prendre dans ses bras vigoureux.

Me murmurer quelques mots à l'oreille.

Me confier quelque chose, un secret peut-être.

« Viens Papa, viens Papa ! »

« Viens vite Papa ! »

Mon appel ne produisait aucun effet. Son silence décuplait ma rage. Quelques pas encore, il jetait un dernier coup d'œil sur sa montre Seiko. Il rentrait dans la chambre conjugale. Puis il se laissait tomber sur son grand lit. Et déjà il dormait. Ronflait. J'éclatais en sanglots.

Maman me grondait. Elle disait qu'il ne fallait pas le déranger avec mes pleurs, mes caprices et mes soupirs. Mais je n'écoutais personne. À commencer par elle.

Les larmes coulaient toutes seules.

Ma gorge se nouait toute seule.

J'avais les yeux rouges depuis toujours.

Je devais pleurer, et c'est tout !

Le dernier personnage, Béa, tu l'as devant toi. Pas besoin d'une vieille photo sépia. Nous avons des centaines de clichés de toi et de moi enregistrés dans la mémoire de l'ordinateur familial et disponibles en deux ou trois clics.

Je vais me présenter juste pour la forme ou disons pour mieux habiter mon rôle de conteur. Je m'appelle Aden Robleh. Les enfants de mon quartier, eux, m'appelaient le Gringalet ou l'Avorton. Ces quolibets m'ont longtemps servi de carte d'identité. Ce passé a été ma prison. Je veux désormais le remettre à distance. M'en libérer. C'est parce que tu m'as posé une question qui me tenait à cœur que ce passé m'est revenu avec une certaine fraîcheur. C'est pourquoi je le partage avec toi, ma douce Béa. Il tardait à refaire surface. À sortir de la brume au bout du petit matin. Aujourd'hui ce n'est plus le cas. Et il me faut te remercier. Il me faut remercier aussi le Seigneur et Satan. L'un comme l'autre, ils ont bercé mon enfance. Tous les soirs, grand-mère Cochise priait copieusement le premier pour me délivrer des griffes du second. « Toute cette fièvre, cet enfant n'est vraiment pas comme les autres ! »

Je m'appelle Aden parce que j'étais le premier enfant de la famille Robleh. Le seul enfant un bon bout de temps. Sept années durant, avant l'arrivée d'Ossobleh, mon frère cadet, j'étais le prince du royaume mais je ne le savais pas. Je n'étais qu'une boule de douleurs, de larmes et de pleurs. Des peurs denses comme des bosquets peuplaient mes nuits. Dans la ville de mon enfance, il y avait toujours beaucoup de soleil et de poussière. Je ne supportais pas les écorchures du soleil et la poussière ravageait mes poumons d'asthmatique.

J'ai longtemps gémi sous les insultes et les quolibets. Je ne savais pas me défendre. Je n'en avais pas la force. Tous les gamins le savaient déjà, ou plus exactement ils le constataient tout de suite. Cela sautait aux yeux. Je me tenais à l'écart. Peureux, timide, je ne me sentais pas entier comme les autres qui ne se gênaient pas pour me bousculer. Ils devaient penser que j'avais un squelette en plâtre. Certains imaginaient que je portais sur mes épaules un secret trop lourd. Les plus audacieux me posaient des questions insensées, je me contentais de renifler en silence. À cette époque, j'étais faible et fiévreux sans raisons médicales.

C'était dans ma nature.

Je restais sur mes gardes.

Mais j'étais animé par une force irrésistible qui échappait à leur esprit de gamin. Je n'avais d'yeux que pour l'institutrice, je n'avais d'ouïe que pour elle. Elle mettait en orbite tout mon petit être mal fagoté.

Pour un sourire de Madame Annick j'étais prêt à tout.

Lever la tête, courir sous le préau, risquer ma peau.

Affronter les pires voyous de l'école du Château-d'Eau, le centre sismique de mon quartier. À l'époque, le terme de quartier ne s'appliquait que pour nous autres, les autochtones, qui habitions la ville basse, la ville africaine où s'agglutinaient l'essentiel des deux cent cinquante mille habitants du TFAI.

Je me répète, toute mon attention était accaparée par Madame Annick.

Madame Annick était une Française.

Mais attention, une Française de France.

Une Française de France, blonde aux yeux couleur émeraude.

Une Française de la belle France, riche, verte et pluvieuse, qui n'avait rien à voir avec notre territoire de France pas riche, pas vert, pas pluvieux mais chaud, sec et riche en cailloux noirs. Nous étions des petits Français qui n'avaient jamais vu la France. Oui Béa, je t'assure que ça fait très bizarre aujourd'hui à l'ère du tourisme de masse mais c'était comme ça avant. À cinq ans, tu avais pris l'avion vingt-cinq ou trente fois. Mais au TFAI, à part les militaires de carrière et les appelés du contingent, les autochtones prenaient très rarement l'avion. Voilà pourquoi je pensais que Madame Annick était bien différente de nous.

Et d'abord, elle habitait dans une vraie maison en dur, ou alors dans un immeuble situé sur le plateau du Héron, dans la partie la plus moderne de la ville. La partie haute appartenait aux Français de France, la partie basse aux autochtones.

Madame Annick a dû quitter le Territoire l'année de mes douze ans qui a coïncidé avec l'indépendance célébrée en juin 1977. Un jour, à la sortie de l'école, j'ai voulu suivre Madame Annick. Juste pour voir. Pendant des jours, j'ai préparé divers stratagèmes mais je suis tombé sur un os. L'obstacle était là, sous mes yeux Béa, mais pour une raison assez étrange je n'y avais pas songé. La maîtresse repartait au volant de sa petite auto. Et personne de mon entourage n'avait une auto. Mon père était le seul de notre secteur à disposer d'une mobylette mais il rentrait tard dans la nuit et n'aurait pas accepté qu'on prenne en filature Madame Annick quittant l'école du Château-d'Eau et regagnant la ville haute par la rue des Issas et la place Arthur-Rimbaud. Avec un peu de chance, Madame Annick habitait sur la corniche et dans ce cas-là elle pouvait contourner la place Rimbaud par le boulevard des Salines. De son lieu d'habitation au plateau du Serpent ou du Marabout, elle entendait les vagues s'écraser sur les rochers. Si elle était domiciliée au Héron, c'étaient les mêmes vagues mais de l'autre côté de la baie. Sur le plateau du Marabout, d'autres vagues encore si semblables et si différentes. Le secteur habité par la crème des Français de France était bien particulier. Il s'appelait Quartier Brière-de-L'Isle et regroupait les casernes du 5e régiment interarmes d'outre-mer basé chez nous, à Djibouti. La seule fois où j'y ai mis les pieds c'était vers 1979 ou 1980, pour mes quatorze ans, et j'en étais revenu médusé. J'ignorais que nos parents ne pouvaient pas, il y avait quelques années encore, y circuler la nuit sauf s'ils y travaillaient comme gardien, jardinier ou cuistot, auquel cas ils disposaient d'un laisser-passer dûment signé par leur employeur.

À cette époque, seule Madame Annick comptait à mes yeux.

Elle avait des yeux émeraude comme l'eau d'une piscine propre. Des yeux diaphanes comme le ciel par temps clair.

Ses cheveux blonds pouvaient se hisser sur le haut de son crâne et elle les aplatissait à coups de crèmes et autres pommades. Elle avait la mèche rebelle, soupirait-elle dans la cour. Ce n'était pas notre cas à nous les autochtones. Personne n'avait de mèche rebelle chez nous. Même pas Askar le fou du quartier. Ses grosses tresses entortillées étaient couvertes de saletés comme si des gamins avaient déversé le contenu de la benne de l'Hôtel Ménélik sur sa tête et pris soin de renouveler l'opération tous les jours de la semaine.

Madame Annick portait souvent un chemisier éclatant et une jupe de couleur sable, tenue à la taille par une ceinture fine et noire. Elle avait une bague en or et des bracelets en argent qui s'entrechoquaient dès qu'elle bougeait ses bras tannés par le soleil. Quand elle se déplaçait dans la classe, j'admirais ses jambes solides. Je dévorais des yeux ses mollets au galbe bien dessiné, ses chaussettes blanches, ses sandalettes souples et confortables. Chez elle, tout était admirablement à sa place.

Le dos courbé, la tête légèrement en avant, les paumes des mains posées sur son bureau, c'est dans cette position que Madame Annick démarrait la journée d'école. Je te passe en accéléré l'épisode de l'arrivée dans la cour. Les bousculades, les insultes et parfois les crachats que j'essuyais discrètement sans regarder dans les yeux le gamin qui en était l'auteur. Puis le directeur arrivait au milieu de la cour pour tirer sur la corde qui faisait retentir un son lourd et métallique qui résonne encore aujourd'hui à mes oreilles plus de quarante ans après. Ensuite, nous nous mettions en file indienne. Nous gardions le silence et attendions que la maîtresse nous invite à entrer dans la classe. Toujours à la queue-leu-leu et dans le calme le plus strict. Elle commençait la matinée par l'appel. Mon cœur battait de plus en plus fort à mesure que les lettres de l'alphabet défilaient.

À présent, elle récitait les noms en L, M, N, O et P. Me voilà, saisi d'une fièvre d'excitation. Mon corps se débattait tout seul, d'avant en arrière, comme un hamster prisonnier de sa cage.

J'entendais les cliquetis des cartables qui s'ouvraient en cadence. L'école était un sanctuaire. Je me sentais protégé par la maîtresse. J'étais honoré d'être sollicité par Madame Annick.

— Rabeh !

— Ragueh !

Le monde s'arrêtait de tourner.

C'était mon tour.

— Robleh !

Aucun mot n'arrivait à sortir de ma bouche.

Madame Annick levait la tête. Son regard croisait le mien.

Et c'était la délivrance.

— Aden Robleh !

— Présent, madame !

À nouveau, je respirais.

Mon petit corps d'avorton se détendait enfin.

La journée d'école ne pouvait pas mieux démarrer.

Je n'ai jamais su pourquoi Johnny m'avait humilié devant tout le monde le premier jour de l'école. Maman m'avait mis une tenue de petit garçon adorable. Une chemise blanche aux manches bleues. Un short kaki. Des sandales et une paire de chaussettes de couleur sang de bœuf. Peut-être Johnny n'appréciait-il pas mes chaussettes. Ou peut-être voulait-il transmettre à tous les élèves le message que cette année il serait encore plus impitoyable que les années précédentes. Mais pourquoi je fus la victime sacrifiée ? Je n'en saurai rien, Béa.

C'était le jour de la rentrée. Le raffut de la récré avait déréglé ma boussole intérieure. Les autres gamins étaient sortis de la classe en courant dans tous les sens. Ils s'insultaient copieusement, maudissant la mère d'un tel et la grand-mère d'un autre. Je me tenais à l'écart. Personne n'était venu jouer avec moi et c'était très bien ainsi. Les maîtresses bavardaient dans la salle de réunion. Madame Annick était partie saluer le directeur et ses collègues dans son bureau où l'on pouvait admirer la carte de France avec chaque département et chaque territoire représentés par une couleur différente. En scrutant des années durant cette carte, Béa, comme toi auscultant les vieilles photos de ta famille paternelle, j'ai appris des noms étranges qui résonnaient délicatement à mes oreilles d'élève de CE1 : Alsace. Auvergne. Charente-Maritime. Guadeloupe. Réunion… sans oublier notre cher TFAI. Bref, ce jour de la rentrée, la discussion dans la salle de réunion traînait un peu plus que d'habitude parce que les adultes avaient des souvenirs de vacances ou des consignes pédagogiques à échanger. Et la récréation s'étirait. J'attendais impatiemment que la cloche retentisse. Mais rien ne venait de ce côté-là.

L'envie de traverser la cour en courant m'a soudain traversé l'esprit. Comme ça, je prendrais le temps d'admirer les fruits du jujubier qui étaient tombés et que personne n'avait songé à ramasser car ils étaient sans doute secs et incomestibles. Puis, en voyant la meute qui campait au milieu de la cour, j'ai renoncé à mon téméraire projet. La sonnerie ne retentissait toujours pas. Prenant mon courage à deux mains, je me suis mis à courir en direction du jujubier. Entre l'arbre verdoyant et le préau d'où je m'étais lancé se trouvait la fontaine, juste derrière la classe des CM2, les plus grands de l'école, placée sous la charge de M. Émile Trampon qui faisait aussi office de directeur. Soudain, Johnny surgit de derrière la classe de la CE2 et courut dans ma direction. Mon cœur battait si fort que je le sentais tambouriner dans ma cage thoracique.

Qu'allait-il m'arriver ? Tu te poses la question toi aussi Béa. Voulait-il juste se désaltérer comme moi ? Avait-il une autre idée derrière la tête, ce vaurien ?

J'étais tout prêt de la fontaine. Johnny aussi. J'avais eu le temps de sentir son haleine sur ma nuque. J'avais eu le temps de voir son regard légèrement asymétrique et son sourire assassin. À présent, il était dans mon dos. Il avait pris tout son temps pour me contourner. Il me laissait passer, pensais-je. Je n'avais plus qu'à me pencher sur le robinet, et à boire l'eau recueillie dans la paume de ma main droite. Et ce fut ma tête qui vint heurter le robinet. Le sang coulait à flot, se mêlait à l'eau. Des adultes accoururent. Quelqu'un me releva. Je pleurais à chaudes larmes. L'arcade sourcilière ouverte, la joue droite et le nez éraflés. Mon genou saignait beaucoup. Je me tordais de douleur. De détresse aussi. Ce n'était plus le choc qui me préoccupait mais la violence de ma chute provoquée par son croche-patte. Et surtout le spectacle de mon humiliation dès le premier jour de la rentrée.

Cette chute me poursuivrait bien des années après. Johnny, mon bourreau, était fier de lui. Son rôle de briseur de jambes réaffirmé, il n'avait plus de soucis à se faire pour sa couronne. Et moi je restais mou et docile. Toute l'année aux aguets, je sursauterais dès que j'entendrais le son de sa voix qui précédait son rire gras. Je faisais tout mon possible pour éviter de croiser son strabisme, ses airs louches. Un coup de poing est vite arrivé. Un croc-en-jambe aussi.

On l'appelait Johnny et je n'ai jamais su son vrai prénom. Il est probable qu'un voisin plus âgé ait déniché ce surnom dans une bande dessinée récupérée dans une poubelle. À moins que son viril paternel n'ait songé à rendre un solide hommage à un chien féroce protégeant la villa d'un haut gradé ou à Johnny Hallyday, la star du rock'n'roll que tous les appelés et les gradés du TFAI vénéraient avant Sylvie Vartan et Claude François. Certes le père de Johnny n'avait pas le strabisme de son fils mais chez lui aussi quelque chose ne tournait pas rond. À toute heure, il était suivi par une meute. La nuit, la clique entonnait son concert de braillards enjoués, réclamant la part de viande de brousse que le père de Johnny leur devait. Il avait gardé cette habitude de son passé de membre du célèbre corps militaire GNA (trois lettres faciles à retenir). Enfants, nous ignorions tout de ce Groupement nomade autochtone, composé exclusivement d'indigènes, et de ses exploits pour contrer les raids de nos ennemis et garder nos frontières inviolées et inviolables.

Grand, gros et fort, le père passait son temps à recoiffer ses cheveux gominés qu'il gardait longs comme les Arabes efféminés qui se dandinent. Il travaillait dans un salon de coiffure fréquenté par les militaires français venus de métropole ou des territoires et départements d'outre-mer pour apprendre comment sauter en parachute dans le désert ou nager dans la mer turquoise au milieu des requins bouledogues. On appelle ça des exercices d'aguerrissement et on dirait que le Seigneur ou Satan a tenu à faire de notre petit pays le meilleur terrain pour ce type d'exercices. Voilà pourquoi les gaullistes et les hauts gradés (ce sont souvent les mêmes) adorent crapahuter dans les montagnes du Goda et du Mabla, sur les collines d'Arta ou dans le cratère du Goubet qui descend en profondeur dans le ventre de la terre.

Dans la cour de récréation, Johnny se comportait en sergent-chef. Il aboyait sur les éléments de sa troupe qui le suivaient partout. Dès qu'ils avaient franchi les grilles de l'école, leurs déplacements étaient coordonnés. Leur langage concerté. Johnny donnait un ordre et ses obligés s'empressaient de l'exécuter. Le premier à s'acquitter de la tâche était bruyamment félicité par l'ogre qui le montrait en exemple. Et si le lendemain il échouait, le malheureux retournait dans l'anonymat. Ce qui passait pour une horrible punition.

Ma fête de la rentrée était ruinée. J'aurais mérité un meilleur sort. Mais Johnny en avait décidé autrement en m'octroyant le rôle de victime tout juste bonne à moquer. Ou pire, à bousculer ou à cogner.

Arrivé à la maison, Maman me demanda comment ma première journée s'était passée. Super, mentis-je en fanfaronnant ! Sur le chemin du retour, j'avais réussi à énumérer le nombre de jours que je passerais à l'école, tout en pressant le pas et en surveillant mes arrières car je redoutais de croiser à nouveau le strabisme de Johnny le Méchant.

Après un soupir un peu las, d'un œil inquisiteur Maman ausculta mon visage. Elle avait senti que quelque chose ne tournait pas rond mais elle n'en était pas absolument certaine. Je ne fis rien pour l'aider. Persistant dans le mensonge, je me mis à siffloter un petit air de mon invention. Sans le savoir, j'imitais les grandes personnes qui se donnent un air important en traversant la nuit les ruelles de notre quartier du Château-d'Eau. Je souriais à Maman. Pour une fois. Pour la tromper. Pour garder ma douleur aussi. Ma douleur est une île déserte, pensai-je au plus profond de moi. Elle m'appartient. Elle ne saurait se partager.

Je ne m'explique pas aujourd'hui pourquoi j'ai persisté à mentir à Maman. Ses mots m'auraient recousu le cœur lorsque Johnny m'avait fait injustement souffrir, encore fallait-il que je lui confie ma peine.

La crainte de Maman n'était pas infondée. Mon genou avait bien été éraflé. Il avait saigné abondamment, j'avais du mal à le plier. Toute la journée, j'ai sauté à cloche-pied. L'infirmier qui m'avait soigné a donné à Maman des recommandations précises : désinfecter la plaie à l'alcool et au Mercurochrome, passer une pommade et changer le pansement deux fois par jour. De plus, il fallait me faire boire abondamment pour éviter la déshydratation, me faire manger correctement. Vérifier si mon carnet de vaccination était à jour. Maman a acquiescé sans lever les yeux de la plaie. D'un coup, la peur s'est emparée d'elle. Elle ne pouvait pas ignorer que j'étais d'une constitution fragile et que je n'avais jamais été vacciné. Le robinet de la fontaine était en métal gris. Bronze ou fonte. Ou un alliage d'autres métaux. Le risque du tétanos ne pouvait pas être écarté.

Maman s'est rendue au dispensaire en courant. Elle en est revenue au galop. Mais pas les mains vides. J'ai éprouvé soudain la morsure de l'alcool sur ma plaie ouverte. D'une main tremblante, Maman a nettoyé le pus, étalé sur mon genou une teinture d'iode sensée éloigner les bactéries et leurs miasmes morbides. Il ne lui restait plus qu'à enrouler le pansement autour de mon petit genou. Le pansement effectué, elle se mit à me masser longuement le mollet et le tibia. Je sentais ses doigts trembler encore et encore. Je sus que Maman avait peur de la mort. De vieux sentiments l'assaillaient. Elle avait eu dans sa famille lointaine des parents paralytiques, d'autres aveugles et d'autres encore qui traînaient des moignons bouffés par la lèpre. J'étais alors son seul enfant. Fragile et maladif, qui plus est. Elle me protégeait à sa façon, apeurée et désordonnée. Si le mal s'était infiltré dans mon corps, à son insu, elle n'en savait rien. Elle se sentait coupable. Coupable jusqu'au bout des doigts. Coupable jusqu'à l'os.

Dans notre quartier, la mort avait un visage familier.

Elle frappait fort.

Elle frappait souvent et sans distinction.

Un jour le sort s'abattait sur un nourrisson.

Un autre jour un vieillard rendait l'âme.

Des familles, touchées par la sécheresse, se traînaient jusque dans notre ville, les tripes en feu.

La gueule ouverte, une nuée de mouches sur le visage.

Elles se soulageaient là où elles pouvaient.

La ville était cernée par une odeur putride, animale.

Les autorités sanitaires et même militaires redoutaient le choléra.

Était-ce déjà trop tard ?

De contamination en contamination, l'épidémie finissait par atteindre la capitale. La dysenterie et le choléra frappaient cycliquement le Territoire et les nomades dont les troupeaux avaient été emportés par la sécheresse dans la sous-région se repliaient dans les villages et les hameaux du TFAI. Alors les Français de France se tenaient à carreau, les fesses bien serrées. Ils faisaient dans leur culotte ou dans leurs bottes de militaires. Le Haut-Commissaire de la République demandait de l'aide à Paris. Mais aucun miracle en vue. De nouvelles familles arrivaient de la brousse par vagues. Affaiblies par les maladies, les adultes traînaient leurs enfants rachitiques suivis par des essaims de mouches. Leur espoir était vain. Les deux ou trois dispensaires de la capitale ne pouvaient pas contenir un tel fléau. Les familles des broussards n'avaient pas la force de repartir. Elles étaient fauchées dans la semaine. On racontait que leurs cadavres étaient gardés un temps à la morgue puis recouverts d'une poudre acide avant d'être jetés dans une fosse commune si personne ne se manifestait pour les réclamer.

Maman vivait dans la terreur de croiser la mort. Son pire cauchemar : me voir ravi par la Faucheuse. Elle se levait au milieu de la nuit pour inspecter mes mâchoires. Les avais-je souples ou contractées ? Mon tronc était-il rigide ? Des douleurs à l'abdomen ? Ma gorge était-elle serrée ? Mes ganglions gonflés ? Mes membres soudés ? Ma nuque était-elle coincée, oui ou non ? Est-ce que je faisais pipi souvent et abondamment ? Dormais-je suffisamment ? Tiens, pourquoi je ne pleurais plus aussi fréquemment qu'avant ?

Où ma fièvre était-elle passée ? Et mon asthme ? Toussais-je beaucoup ? Si oui, dans la journée ou dans la nuit ? Toux sèche ou grasse ? Des ballonnements ? Et mon genou, pas mou tout de même ?

Elle était comme ça, ma mère. Peureuse et superstitieuse. Elle n'arrêtait jamais d'envisager le pire. Dès qu'une pensée morbide trottait dans sa tête, elle se mettait à courir à grandes enjambées vers la cheffesse de la famille qui avait la réputation de connaître sur le bout des doigts la science des ténèbres. Et grand-mère Cochise la rabrouait en lui rappelant que seul le Seigneur ou Satan avait le dernier mot et qu'il ne fallait pas se remuer les sangs pour un rhume ou un petit mal d'estomac. Une fois rassurée, Maman se réfugiait dans un silence de cimetière dont elle ne ressortait qu'à l'arrivée en fanfare d'une nouvelle pensée inquiétante pour elle et énigmatique pour le reste de la famille. À l'époque, j'ignorais tout ce pan du caractère de Maman, ma principale terreur était plus concrète et plus joviale. Elle logeait dans mon école. Elle se nichait dans la classe attenante à la mienne. Elle allumait une cigarette avec un Zippo lourd et métallique dans la cour pour narguer les adultes. Elle tirait sur la cigarette, toussait, tirait sur la cigarette, toussait encore. Son visage arborait non pas le masque des pirates mais un strabisme tout aussi effrayant. Ma terreur portait un nom masculin et exotique. Tu l'as deviné, Béa. Elle s'appelait Johnny.

Madame Annick avait un avantage sur tous les gens que je connaissais. Elle savait lire et écrire le français. Comme je l'ai déjà dit, Béa, Madame Annick était une Française de France. Non seulement elle savait lire et écrire mais elle connaissait très bien cette langue, assez bien pour venir, jusque chez nous, transformer les arrière-petits-fils de bergers nomades comme moi en petits garçons qui sachent lire, compter et écrire. Il fallait qu'ils fassent leur entrée dans le monde moderne, qu'ils réussissent mieux que leurs parents. C'est la République française qui lui avait donné cette sacrée mission. Tous les petits enfants, blonds ou nègres, doivent être instruits pour ensuite décrocher une bonne place dans la vie. Liberté, égalité, fraternité pour tous. Même pour les chiens. En réalité, les choses n'étaient pas aussi simples. Nos parents avaient été oubliés par les anciens collègues de Madame Annick. Ceux qui devaient arriver de métropole pour les éduquer hier quand Papa et Maman avaient encore la possibilité d'apprendre à lire, écrire et compter en français.

Je le dis sans honte mais mon père ne savait ni lire ni écrire le français.

Maman ne savait ni lire ni écrire le français.

Grand-mère Cochise ne savait ni lire ni écrire le français.

Ma tante, les cousins, les cousines, les oncles, les grands-parents et même les voisins, tous ces gens-là ne savaient ni lire ni écrire le français.

Madame Annick, seule, pouvait m'apprendre à lire et à écrire le français.

Askar le Fou, lui, savait écrire et lire le français mais Askar est un personnage singulier. D'abord il était sale comme un cochon, aurait dit Madame Annick. Il parlait tout seul, mangeait la nourriture qu'il ramassait dans les poubelles. On le reconnaissait de loin. De très loin. Et pas seulement avec les yeux. Le nez suffisait largement. Askar avait une odeur de bouse de vache et de caca de nomade mêlés. Je ne connaissais pas une seule personne qui pouvait rester près d'Askar plus de deux petites secondes. Quand, d'un pas lent, Askar se dirigeait vers la porte de notre école, tout le monde partait en courant. Johnny et sa bande de sagouins fumeurs l'insultaient et le mitraillaient de cailloux. Askar ne remarquait pas leur manège. Il continuait d'avancer lentement comme un bateau qui revient à bon port. Il traînait ses jambes éléphantesques, ses vêtements en lambeaux et ses énormes baluchons.

On racontait qu'Askar avait été un homme important. Il savait parler et écrire le français. Il avait travaillé pendant des années dans un bureau climatisé. Il avait eu sous ses ordres une foule de personnes, dont certains Français de France. Tous les jours de bureau, il mettait une belle chemise blanche bien boutonnée, un pantalon noir, des chaussures noires et bien cirées. Il quittait son domicile au volant de son auto. Oui, j'ai bien dit domicile, Béa, car il habitait une maison en dur, pas comme nous autres dans les quartiers. Une fois le seuil de son bureau franchi, une secrétaire l'accueillait avec un sourire mielleux et une tasse de café fumant. Askar taillait ses crayons avant de se mettre au travail. Il gardait toujours deux crayons bien taillés dans la poche de sa chemise. Ah j'ai oublié de te signaler, Béa, qu'avant de quitter son domicile Askar embrassait sa femme. À l'époque les avis divergeaient quand il s'agissait de décrire le baiser. La moitié du TFAI prétendait que le seul haut fonctionnaire issu de nos rangs autochtones embrassait son épouse sur la bouche. L'autre moitié rétorquait qu'il ne faisait qu'effleurer la joue de son épouse européenne et qu'Askar n'avait ni oublié ni renié nos racines nomades. Les deux parties cependant s'accordaient pour reconnaître qu'il caressait longuement la tête de ses deux filles jumelles prénommées Olivia et Viola. Avant de monter ensuite dans son auto, elle aussi blanche partout sauf le toit noir, il démarrait le moteur, prenait le temps de le laisser s'échauffer. Ensuite il klaxonnait pour dire au revoir à sa petite famille qui, depuis le perron de marbre, lui souhaitait une excellente journée.

Dans le quartier, les journées étaient semblables les unes aux autres. Et personne ne me souhaitait une excellente journée ou une belle sieste. Personne ne fêtait les anniversaires et ma date de naissance inscrite sur mon acte d'état civil ne me donnait droit à rien du tout. Je fêterai mon premier anniversaire à vingt-deux ans, une fois en France. Je te vois étonnée ma fille mais les choses se passaient ainsi dans le royaume de mon enfance. Je te comprends, nous n'avons jamais raté un de tes anniversaires, du premier au septième.

Dans mon quartier, c'était une autre affaire. Attention, je ne m'en plains pas. Ma situation n'était pas particulière. Pas de cadeaux ni de gâteau. La notion même d'anniversaire, avec son rituel, sa chanson et ses flonflons nous aurait paru inutile. Ridicule aussi. Les relations avec les parents étaient distantes. Respectueuses mais distantes. Chaque groupe restait à sa place. Nous, les enfants du quartier, étions tous logés à la même enseigne. Beaucoup d'entre nous passions notre temps à courir dans les ruelles comme des cabris assoiffés ou à pousser des cris tels des petits singes cynocéphales. Hiboux ébahis, nous retrouvions nos parents le soir quand le soleil était parti se coucher derrière la montagne d'Ambouli. À cette heure-là, le portail de l'école était fermé depuis longtemps et Madame Annick devait donner le bain à ses enfants. Je n'en savais rien mais il me plaisait de l'imaginer en mère attentive et affectueuse. Dans le quartier, à la tombée de la nuit, les adultes sortaient de leur cahute pour prendre le frais après une journée caniculaire. Des attroupements s'organisaient spontanément entre deux rangées de maisons. On se rassemblait pour écouter la radio qui grésillait.

Un soir, les adultes s'étaient beaucoup chamaillés après avoir écouté le poste. Un jeune homme, sec comme un fil de fer mais bien coiffé, racontait en faisant de grands gestes comment les Américains avaient envoyé un homme sur la Lune.

— C'était tout juste il y a un an ! vociférait-il tout en guettant la réaction de son public.

Un gros bonhomme barbu s'était levé d'un bond. Il avait attrapé le jeune homme sec mais bien coiffé et il l'avait grondé comme s'il était un gamin qui faisait partie de la bande insolente de Johnny.

— Jeune homme, tu es bien innocent comme le bœuf et l'âne de nos fables anciennes. Sache une fois pour toutes que les Américains sont des gros menteurs !

— Oui, rien que des gros menteurs, répétaient les autres adultes en hochant la tête.

Le gros bonhomme barbu était visiblement content de son numéro. Ses bras décrivaient des grands arcs de cercle comme s'il voulait redessiner dans le ciel le trajet de la lune, des étoiles et du soleil qui s'était caché derrière la grande montagne d'Ambouli.

— Si ces Américains disaient vrai, ils n'avaient qu'une chose à faire : peindre en vert un morceau de la Lune. Comme ça, on la verrait de loin.

C'est un vieillard qui s'exprimait sans desserrer les mâchoires.

Je trouvais que le verdict du vieillard n'était pas si étrange. Il avait aussi l'avantage de séduire la plupart des gens. Moi, c'était la première fois que j'entendais le mot « Américain » et je ne savais pas s'il s'agissait de gens comme les Français de France ou d'un troupeau de buffles sauvages. Dès que des adultes se chamaillaient le soir autour d'un poste de radio, tu pouvais être sûr qu'ils prononceraient tôt ou tard des mots comme « Américains », « bombe nucléaire », « de Gaulle », « Mobutu » ou « Hailé Sélassié ». Je ne savais pas encore de quoi ils parlaient. La clameur de leurs voix était lourde comme un orage tropical qui se serait trompé de saison pour arroser les tôles en aluminium de notre quartier. Un parfum d'acacia flotterait sur les toits de fortune, une odeur de terre retournée monterait dans le ciel, portée par une brise venue de la mer, et finalement des effluves d'iode et d'algues nous chatouilleraient le nez.

J'avais presque ton âge lorsque Maman quitta le domicile familial sans crier gare. J'avais exactement sept ans et six mois. Maman était partie. Pour une destination tenue secrète. Grand-mère Cochise me dit sèchement que ce n'était pas la peine de poser des questions.

— Ça ne te concerne pas !

Comme toujours sa décision était sans appel. Heureusement que ma tante m'avait fait comprendre que Maman serait de retour assez vite.

— Vite comment ?

— Deux ou trois jours, si tout va bien !

Je décidai de traîner dans la maison, de ne plus mettre le bout de mon orteil dehors tant que Maman ne serait pas de retour. Au lieu de tourner en rond, j'éprouvais une sorte de pressentiment. La voix et les yeux émeraude de Madame Annick n'accaparaient plus autant mes pensées que le semestre précédent inauguré avec l'humiliation que l'affreux Johnny m'avait infligée devant tout le monde. Je passais le plus clair de mon temps à penser à la mort. Apprendre à mourir était pour moi une préoccupation de tous les instants. Un immense sujet de réflexion. Je note Béa que c'est aussi ton cas. Tu m'en poses des questions sur la mort, la disparition et le monde d'après la mort. Qu'est-ce qu'on devient si on est mort ? me demandes-tu. Figure-toi que moi aussi je me demandais où mes grands-parents morts et leurs grands-parents avaient bien pu aller. Où étaient-ils cachés ? Pourquoi ne nous rendaient-ils plus visite ? Qu'est-ce que le Seigneur et Satan leur avaient fait pour que nous n'entendions plus parler d'eux ? S'ils n'étaient pas retenus quelque part, dans un bunker allemand peut-être, ils nous auraient sûrement donné de leurs nouvelles. Ils étaient polis avant de mourir, non ? La politesse exigeait qu'on prenne le temps de se présenter à ses arrière-petits-enfants nés, comme moi, après leur départ. J'aurais été content qu'ils viennent se présenter à moi. Ils m'auraient confié quelques secrets au sujet du mystère de leur disparition. Nom, prénom, profession, détails sur la maladie qui les avait emportés. Pour les accidentés : jour, lieu et circonstances. En somme, comment tous étaient-ils morts ? Et leurs réactions ? Avaient-ils éclaté en sanglots ou tenu tête au sabre effilé de la Faucheuse ? Voilà les questions qui me traversaient l'esprit. Je sais qu'elles traversent aussi le tien aujourd'hui, à cette étape particulière de ton existence.

Maman partie, la maison était plongée dans un silence profond. Ma tante et moi ne communiquions que par soupirs intermittents. Chaque fois que grand-mère Cochise nous tournait le dos, l'un ou l'autre laissait échapper un gémissement à peine audible. Ma tante n'éprouvait pas les mêmes frayeurs que moi mais c'était sa façon à elle de me soutenir et il fallait reconnaître que sa méthode n'était ni pire ni meilleure qu'une autre. Sur le moment, je l'appréciais beaucoup. Au moins une adulte qui me montrait quelques signes d'attention et d'affection. Grand-Mère gardait pour elle son silence et ses secrets. Et pourquoi Maman était-elle partie sans un mot pour moi, son fils unique ?

Je n'avais pas de copain et mon voisin de classe, Moussa, ne m'adressait plus la parole. Je n'avais pas de copine, bien sûr. Tu vas me rire au nez, Béa, mais je ne me souviens pas avoir adressé la parole à une fille de toute ma scolarité à l'école du Château-d'Eau. J'étais aussi fermé qu'une huître. Les adultes qui m'adressaient la parole n'avaient droit qu'à un murmure ou à un borborygme. Dès que quelqu'un s'approchait de moi, ma gorge se nouait, mon larynx s'enfonçait au fond de ma poitrine. Mes lèvres s'ouvraient et se fermaient mais aucun son n'en sortait. Mon renfrognement, ma voix inaudible, mes mots avalés et leurs yeux écarquillés, ce tableau ne trompait personne. Je n'étais pas doué pour la conversation. Et je ne sentais pas non plus la nécessité de mettre des mots sur tout ce qui se tramait dans ma tête. Certaines personnes lancent à la volée tout ce qui leur passe par la tête, n'hésitant pas à partager avec le premier venu leurs secrets les plus intimes. Moi, plutôt mourir que de confier quoi que ce soit. C'était dans ma nature et je ne faisais aucun effort particulier pour me tenir à cette règle cardinale. On me fuyait comme la peste. On racontait à mon propos des choses insensées et surtout fausses. On disait que j'avais séjourné les premières années dans un hôpital spécial pour les enfants détraqués, un « sanatorium ». Ce nom est si compliqué à prononcer que les enfants qui sont envoyés là-bas doivent être vraiment mal dans leur tête. Se retrouver sain de corps et d'esprit après un passage au sanatorium était encore plus improbable que de transformer la bouse de vache en fleurs odorantes.

J'attendais toujours le retour de ma mère. Mon père rentrait de plus en plus tard. Le charme de sa mobylette Solex pétaradante était rompu. Les voisins et les cousins se faisaient rares comme si tout le monde s'était donné le mot pour nous éviter. Ma tante se lassait de mon humeur maussade. De loin on voyait mon cou maigre et mes clavicules bouger tout seuls. J'avais appris à sangloter dans mon coin sans éveiller les soupçons.

D'instinct grand-mère Cochise savait que je traversais une mauvaise passe. Quand j'étais déçu ou amer, elle le devinait. J'avais, me concéderat-elle plus tard, la lèvre supérieure légèrement rétractée. C'est à cela qu'elle reconnaissait les gens amers. Ils s'emportent facilement, se réveillent plus tôt que les autres. Inquiets, peureux, ils restent toujours sur le qui-vive. Ils sursautent dès qu'un lézard tortille de la queue sur le mur d'en face. Je dois t'avouer, Béa, que la grand-mère avait, encore une fois, vu assez juste. On pourrait même ajouter, comme Dupont et Dupond, qu'elle avait touché sa cible en plein dans le mille. Pour une vieille femme presque aveugle, ce n'était pas mal du tout !

Maman fut de retour un après-midi où le ciel avait bonne mine. Elle n'était pas seule. Elle transportait quelque chose dans un petit panier protégé du soleil par une couverture semblable à ces toiles de jute utilisées par les femmes de la brousse qui venaient vendre chez nous les denrées que tout fils de nomade affectionne : lait de chamelle, beurre clarifié, lanières de viande de chamelle séchées et agrémentées de perles de sel, œufs d'autruche. La crème de la crème restait la bosse de dromadaire découpée en dés qui ressemblent de loin à de vulgaires petits carrés de savon transparent. Mon père sélectionnait les toiles les plus belles pour les touristes amateurs d'artisanat traditionnel.

Figure-toi Béa qu'il ne s'agissait pas de panier mais d'un couffin minuscule, si minuscule qu'il semblait disparaître dans les bras de ma mère. Le produit si précautionneusement emmitouflé n'était nullement de la viande de brousse ou de la bosse de chameau destinée à affoler les papilles des citadins nostalgiques de la savane. C'étaient les youyous des voisines qui m'avaient mis la puce à l'oreille. Le couffin ne contenait pas un précieux mets. Le doute n'était plus permis : des sanglots à peine perceptibles me parvenaient. Maman s'était fait la malle pour une destination tenue secrète et voilà qu'elle revenait précédée par les marques d'attention de toutes les femmes du quartier accourues après un signal qui avait échappé à ma vigilance. Si nous n'avions pas été en plein après-midi, j'aurais pensé qu'elles avaient communiqué entre elles à l'aide de lampes-tempêtes aux longues mèches et suivant un code sophistiqué dont le déchiffrage aurait échappé à mon entendement. Ce n'était pas parce que je venais d'accéder à la lecture grâce à Madame Annick que j'aurais pu décoder aisément le mode de communication des femmes du quartier. De toutes les manières, elles étaient présentes à ce rendez-vous impromptu ou préparé de longue date. Elles ne semblaient pas remarquer ma présence tant elles étaient occupées à psalmodier, à inspecter chaque pli de la peau, chaque os et chaque poil du petit être que ma mère, tremblante d'émotion, tenait dans ses bras. Une matrone essuya le visage de Zahra avec un chiffon extirpé de sa grosse poitrine avant de lui moucher le nez car ma mère ne pouvait pas se permettre de lâcher un seul instant son bébé, ou même de remettre le couffin à une autre dame comme elle avait coutume de le faire avec moi quand je pleurais pour se moucher le plus tranquillement du monde. Une autre matrone qui venait de faire son entrée dans la maison vint claquer deux grosses bises sonores sur les joues de ma mère striées de larmes que je devinais chaudes, comme la mer sur la plage des Tritons pouvait l'être au plus fort de la canicule.

En observant toutes ces femmes agglutinées autour du bébé fraîchement arrivé sur notre coin de terre, je comprenais un peu mieux ce qu'on appelle l'instinct maternel qui se passe de mots. Bien sûr, je ne parlais pas, tu t'en doutes bien Béa, de cette manière, mais j'accédais par intuition au nœud de la relation entre un bébé et sa mère ou son père. Il me semble que cette relation-là tranche par rapport à toutes les relations que nous avons pu connaître auparavant.

Le parent idéal n'a envers sa progéniture aucune attente. Il est là juste pour le bien de ses enfants. Leur transformation, leur bonheur. J'avoue que ce n'est pas le chemin emprunté par la plupart des parents que j'ai connus et que je connais encore mais c'est sur ce chemin que je me vois, aux côtés de ta mère Margherita, de ta grand-mère Carlotta, de tes grands frères Yacine et Elmi, de ton grand-père Salvatore.

La matrone arrivée la dernière discutait avec grand-mère Cochise qui, elle, redoublait d'attention à l'égard de ma mère qu'elle grondait comme si elle était une fillette en jupons et non l'épouse de son fils aîné qui était aussi la prunelle de ses yeux. Ma grand-mère s'appelait Nadifa, même si je n'avais jamais entendu quiconque l'appeler par son prénom. Pour moi, elle était grand-mère Cochise. Elle restait grand-mère Cochise. Pour les autres, elle était l'Ancienne et tout le monde priait en silence quand on l'entendait s'approcher. Elle suscitait la crainte et le respect, c'est tout.

Le retour de ma mère attira une grande partie des femmes du quartier. Le conciliabule autour d'elle avait beau avoir commencé depuis une bonne heure, aucune matrone n'osait s'éloigner du couffin. Elles restaient comme des poules à caqueter autour de la mère et de son nourrisson tandis que les deux vieilles aux lèvres émaciées se concertaient pour percer les secrets de la vie et les clefs du destin. Elles tenaient à calmer les esprits des défunts avant que le nourrisson ne pousse ses premiers vagissements à l'intérieur de la maison où il ferait désormais ses cacas, ses rots et où il accomplirait ses premiers pas. Le conciliabule durait encore et personne ne remarquait rien là d'alarmant. Les poules caquetaient encore et encore. Maman transpirait comme une mozzarella.

Quand les expertes en science des ténèbres eurent mis fin à leur entretien, il faisait presque nuit. Et les voisines repartirent, l'une après l'autre, une lampe-tempête à hauteur d'épaule. J'ai mis du temps avant de remarquer que le quartier était plongé dans la nuit depuis plus de deux heures. Le mécanicien en chef de l'EDD, la régie de l'Électricité de Djibouti, avait-il oublié d'appuyer sur l'interrupteur général ? Cet homme était-il parti cuver son khat, la tête entre les cuisses de sa maîtresse ? Ses assistants n'avaient-ils pas eu le cran de le réveiller ? C'est dans cette ambiance un peu féérique à cause de l'obscurité et du chuintement des lampes-tempêtes que mon frère cadet poussa son premier cri.

Je me suis levé d'un bond, Béa, moi qui suis d'habitude lent à la détente, pour sauter au cou de ma mère qui séchait des larmes abondantes.

J'ai eu le loisir d'observer de près mon nouveau colocataire.

Il avait la peau des fesses souple et fripée.

Les yeux rapprochés et la bouche en cul de poule.

Il savait meugler déjà assez fort pour tenir ma mère sous son joug.

À voir ses jambes gigoter avec énergie, mon colocataire était d'une autre trempe que moi.

À coup sûr, il serait aussi dynamique que j'étais fragile.

Et aussi vigoureux que j'étais maladif.

La nuit jouait les prolongations, des voisins se relayaient pour féliciter mon père qui venait d'arriver. Je n'avais pas entendu sa Solex pétarader ; je devais avoir la tête ailleurs. Le lendemain, un imam est venu bénir mon colocataire. Bien sûr, c'est la grand-mère qui avait soufflé à l'oreille du religieux le prénom de baptême. Tante Dayibo est restée près de l'imam tout l'après-midi. Après chaque prière, elle agitait son chapelet avec ostentation. Ma mère paraissait si frêle dans sa nouvelle robe. Papa la Tige était impeccable dans son costume trois-pièces. Et moi, j'avais les pieds si serrés dans mes chaussures que j'étais tout près de l'évanouissement.

« Je te laisse entre de très bonnes mains, Ossobleh ! »

C'est ainsi que l'imam a pris congé au grand dam de ma tante Dayibo qui a écrasé une dernière larme.

« Bienvenue au monde, Ossobleh ! »

C'est ainsi que les voisins prirent, à leur tour, congé.

« Ossobleh, tu seras fort comme un roc ! »

C'est ainsi que Grand-Mère mit fin à la cérémonie.

Je ne me souviens plus du reste.

J'étais parti me coucher.

Grand-Mère avait oublié de me raconter une histoire.

Personne n'était venu me souhaiter bonne nuit.

Ossobleh braillait dans la nuit.

Je n'étais plus le fils unique.

À la mort de ma petite sœur née juste neuf mois après mon braillard de cadet Ossobleh, je me suis senti plus seul encore. J'étais l'aîné mais tout le monde n'avait d'attention que pour mon petit frère depuis la disparition de la petite sœur et la période de convalescence de ma mère. Et Papa la Tige, préoccupé par le faible rendement de sa boutique, rentrait de plus en plus tard. La maison me paraissait une coquille vide, et le quartier un théâtre silencieux. J'avais peur de ce silence, comme si j'étais tombé dans un trou noir, comme si personne n'avait remarqué mon absence. Un soir que je farfouillais dans les malles entassées au fond de la chambre de ma grand-mère, j'ai fait une découverte étonnante.

Je suis tombé par hasard sur des cahiers d'écriture qui avaient appartenu à un vieil oncle. Il s'appelait, lui aussi, Aden, et je ne tarderais pas à apprendre qu'il avait fondé une mosquée dans l'arrière-pays. Mes parents m'avaient donné son prénom, neuf ans et des poussières plus tôt, pour maintenir une sorte de lien avec cet homme aimé dans la famille et disparu bien avant ma naissance. Les mauvaises langues claironnaient que la trentaine passée, je serais bigleux, maigrelet et chauve comme une boule de billard à l'instar de mon homonyme. Maigrelet, je l'étais déjà, Béa, mais bigleux pas du tout.

Désormais je savais lire tout seul. J'étais toujours à l'affût de quelque livre ou magazine à dévorer. Cette activité m'apaisait beaucoup. Madame Annick, que j'avais retrouvée avec grande joie, nous lisait de vraies et longues histoires. Les aventures de Blanche-Neige et les sept nains, les périples de la petite Heidi ou le mystérieux Aladin et la lampe magique égayaient mes fins d'après-midi. Rien de mieux qu'une belle histoire, après une bonne journée d'écriture et de calcul, pour calmer mes angoisses.

La découverte inopinée des cahiers de l'autre Aden tombait bien, j'avais déjà pris goût aux vraies histoires racontées par grand-mère Cochise. Comme par hasard, tout concourait à faire de moi un amateur de récits fascinants et fabuleux : d'abord ma grand-mère, ensuite la maîtresse et maintenant le vieil Aden surgi du passé. Il faut dire que les cahiers de mon grand-oncle Aden étouffaient sous la poussière dans une vieille armoire et n'attendaient que la main qui allait les tirer de leur sommeil. Cette main, c'était la mienne. Les déchiffrer me prenait beaucoup de temps. Cela me consolait aussi.

Dévastée par le chagrin provoqué par la disparition de ma petite sœur, ma génitrice ne parlait plus, ne mangeait plus et ne se lavait plus du tout. À vrai dire, elle ne quittait plus sa couche. À ce rythme-là, elle risquait d'emprunter la pente qui avait conduit Askar au fond du trou. Parce qu'il avait perdu toute sa famille dans un incendie, le haut fonctionnaire avait sombré corps et âme. L'incendie n'avait rien d'accidentel. Askar était devenu indépendantiste et quelqu'un de haut placé parmi les gaullistes avait choisi de tuer dans l'œuf les idéaux d'Askar.

Si Maman se laissait aller, Grand-Mère ignorait, elle, les affres de l'affliction. Et moi, je découvrais la vie de cet oncle pas comme les autres. Si j'en crois les adultes de ma famille, je n'étais pas doué pour la vie réelle.

Ce gosse est mal barré ! J'entendais leurs pensées avant qu'elles n'aient franchi le seuil de leurs lèvres, mais ils n'en devinaient rien. J'aurais été atteint d'une maladie retorse, cachée dans mon corps plus maigre qu'un cep de vigne. Je souffrirais d'une incapacité à faire mon trou dans le monde des adultes et ses pièges multiples, c'était là le fond de leur pensée !

En déchiffrant la graphie capricieuse du vieil Aden, j'ai été happé par plusieurs scènes croquées par une main talentueuse. Sur chacun de ces dessins, un motif revenait souvent : un petit garçon, vêtu d'un manteau bleu, tenait à la main un bâton agrémenté d'une étoile dorée. Autour de lui, des gens de teint brun habillés à l'ancienne, autrement dit avec des habits effilochés qui avaient dû être blancs à une autre époque. Au milieu de tous, un homme sec aux yeux foudroyants dont je découvrirais, plus tard, la vie extraordinaire. C'était le Petit Prince. Le petit garçon au manteau bleu, je l'ai apprivoisé si vite que je devinais ses gestes et finissais ses phrases avant lui. Cet enfant me ressemblait de diverses manières, j'en avais décidé ainsi. Cet enfant, Béa, m'était plus connu que mes propres parents. Cet enfant, c'était moi. Je me revois nageant entre les rives du temps. Je me revois parcourant le grimoire laissé par le vieil Aden. Tous les sentiments de cet enfant qui voulait voler comme les oiseaux de la savane, je les ai éprouvés au plus profond de moi. Moi aussi je voulais voler.

Mon désir le plus cher en ce temps-là : me jeter du haut d'une falaise.

Étendre mes bras décharnés qui se transformeraient aussitôt en ailes vigoureusement déployées.

Voler, voler,

Voler et voler encore.

Des années plus tard, j'ai compris que le carnet provenait d'une édition illustrée destinée aux petits nomades désireux d'apprendre les secrets de l'alphabet et propagée par une congrégation religieuse qui comptait ramener le petit peuple de la brousse sur le droit chemin. Un des épisodes m'a marqué longtemps. Je te signale ma chère enfant qu'à cette époque je savais lire correctement. Dans cet épisode j'ai fait la rencontre d'un garçon au costume bleu qui me rappelait une autre histoire que j'avais lue presque en même temps. Dans la seconde histoire le petit garçon juché sur son arbre cherchait des yeux un autre homme à la prunelle foudroyante.

Cet homme-là, c'était le Christ !

Quelque chose dans sa posture m'avait touché au point que je me suis projeté en lui comme il arrive Béa que ton ombre et la mienne se rejoignent lorsque nous nous dirigeons vers l'épicerie italienne de la rue du Faubourg-Saint-Denis où nous achetons nos gnocchi *napoletani* et de la mozzarella *di buffala*. Enfant, je me voyais, assis à côté du Christ. Tu m'as dit aussi que ce Christ t'impressionnait beaucoup. Son corps si maigre, ses blessures t'ont touchée tout de suite. Pourquoi ont-ils été méchants avec lui ? m'as-tu demandé plus d'une fois. Je n'ai pas su quoi te répondre. Ta mère n'aimait pas beaucoup que je te parle du Christ ou que je t'emmène à l'église Saint-Laurent, l'une des plus vieilles de Paris.

Enfant je me croyais contemporain du Christ. Je me voyais projeté, à mon tour, au milieu de ces juifs aux visages émaciés, aux yeux brûlants de fièvre. À partir de ce jour-là, la lecture de ce grimoire m'a accompagné partout jusqu'au collège. Je préférais la fraîcheur de ces dessins aux questions navrantes de ma mère ou de ma tante Dayibo qui n'a jamais eu d'enfant malgré les multiples assauts de son vieux mari. Je crois bien que j'avais compris à cette période de ma vie que les contes comme le Petit Prince ou les Évangiles n'étaient pas des histoires du passé, des histoires des gens du passé cachés derrière le rideau noir du passé. Je savais, Béa, que ces histoires étaient des récits de nos propres vies. Qu'un jour ou l'autre, il arrive que nous fassions tous l'expérience de Zachée, l'homme juché sur l'arbre qui voulait contempler Jésus arrivant à Jéricho. Manteau bleu ou pas, ce n'était pas un garçon comme je l'avais cru un temps mais un homme de petite taille. Un pêcheur. Un homme détesté de tous et qui n'était pourtant pas dans le besoin. Le jour où je suis parvenu à percer le secret de son nom, j'ai été empli de joie. Il s'appelait Zachée. Le piège orthographique, je l'ai enjambé avec facilité. Zachée se prononçait donc za-ké. Je doute que Johnny et sa bande de va-nu-pieds auraient pu déjouer le piège. Madame Annick aurait été fière, Béa, si elle avait eu vent de mon exploit !

À force de parcourir les pages, je commençais à m'imprégner de l'épisode biblique. Il disait que Zachée avait amassé beaucoup d'argent, qu'il était le chef des collecteurs d'impôts. Il était juché sur son sycomore. Et quand Jésus s'est adressé directement à lui, le riche Zachée a été le plus prompt à répondre à l'appel.

Zachée, descends vite : aujourd'hui il faut que j'aille m'installer dans ta maison.

Aussitôt dit aussitôt fait, Zachée est descendu et a accueilli Jésus avec joie. Les gens importants qu'on appelait les Pharisiens se sont fâchés. Leur jalousie était immense. Leur courroux sans bornes.

Il est allé loger chez un pécheur, rendez-vous compte ?

Mais Zachée a connu une transformation rapide. Il a vaincu sa peur des autres. Il s'est livré sans hésiter. En serais-je capable moi aussi un jour ? Écoute-le Béa :

Voilà Seigneur : je fais don aux pauvres de la moitié de mes biens et si j'ai fait du tort à quelqu'un, je vais lui rendre quatre fois plus.

Et les yeux de Jésus se sont illuminés :

Aujourd'hui, le salut est arrivé pour cette maison, car lui aussi est un fils d'Abraham.

Dans le cahier de mon vieil oncle Aden on pouvait lire qu'en vérité, le Fils de l'homme était venu chercher et sauver ce qui était perdu. Tout de suite, j'ai été sous le charme de cette expression « le Fils de l'homme » que j'entendais pour la première fois. Tu ne vas pas me croire, Béa, mais j'avais noté aussitôt le F majuscule.

L'histoire de cet homme nommé Zachée m'a servi de boussole pendant de longues années. Je remercie mon grand-oncle qui a su restituer dans ces carnets intimes cet épisode biblique. Si ce Jésus était capable de sauver un homme avec un mot, il pouvait me sauver moi aussi quand je me retrouverais dans une situation dangereuse sous le préau face à la bande de Johnny. Je comprenais alors pourquoi les grandes personnes se mettaient à prier dès qu'elles sentaient un danger planer sur leurs épaules et celles de leurs proches. Et je commençais à me dire que je ferais la même chose si demain Johnny et ses petits soldats me pourchassaient. Je priais le Seigneur et Satan pour que cette troupe soit anéantie par le feu du Buisson ardent qui brûle sans jamais se consumer ou par les criquets qui dévorent toutes les graminées sur les collines de Judée.

Le vieil oncle Aden n'était pas le seul à adorer les histoires coraniques et bibliques. Dans notre grande famille africaine et nomade, tout le monde connaissait par cœur les exploits des prophètes Ibrahim, Moussa et Issa, appelés dans les Évangiles Abraham, Moïse et Jésus. Ma tante Dayibo racontait la vie des saints et prenait le preux Issa pour un membre de la famille. J'avais longtemps cru qu'il était, lui aussi, un enfant du quartier du Château-d'Eau comme moi et comme mon père Amine. Cependant ma tante Dayibo était l'adepte la plus fervente des miracles et des merveilles restitués dans les ouvrages religieux. Comme je te l'ai dit précédemment, elle ne savait pas lire mais elle connaissait par cœur les versets coraniques ou les grandes étapes de la vie du prophète Mohammed ou de son épouse Aïcha. La Providence ne lui ayant pas fait le cadeau de l'enfantement, je pensais qu'elle s'identifiait plus facilement à la vénérable Aïcha. Chapelet à la main, tante Dayibo priait tout le temps. Elle gardait le visage fermé, seuls son triple menton et sa bouche bougeaient machinalement. À toute heure de la journée ou de la nuit, on pouvait surprendre sur ses lèvres des prières et des invocations. Et la main de Fatima suspendue à son cou tressautait, à la fin de chaque prière, juste dans le périmètre de graisse entre son triple menton et sa poitrine haletante. Le pauvre collier devait être fatigué à la fin de la journée, à l'entendre prier en geignant sans cesse. Être au cou de ma tante n'était pas une sinécure. Tante Dayibo semblait toujours au bord des larmes, quand elle multipliait les louanges et les tours de chapelet. Tous les matins, toujours à genoux, tante Dayibo suppliait les saintes Aïcha et Fatima de lui accorder une journée tranquille. Enfin, elle ne disait pas ça comme ça mais elle parlait plutôt de « solliciter la grâce » ou la « miséricorde ». Elle soupirait à la fin de sa prière qu'un jour viendrait la « récompense céleste ». Quand il lui arrivait de me prendre enfin dans ses bras, tante Dayibo ne cessait pas de marmonner pour autant. La prière lui donnait le courage de tout affronter, elle la nourrissait comme moi je me nourris de lait et de riz blanc. Mais il y avait autre chose qui me gênait. De tout mon corps, je sentais que ma présence interrompait le dialogue continu qu'elle entretenait avec la sainte Aïcha. Et j'ai su qu'elle ne m'aimait pas beaucoup, et que je ne devais pas faire partie de son Royaume de Dieu dont elle décrivait les couleurs avec force détails. Même quand elle parlait de moi, elle s'adressait à sa sainte préférée :

« Sainte Mère, Vénérable Aïcha, faites que cet enfant recouvre la santé. »

Je faisais semblant de n'avoir rien entendu. Je pleurais pour ne pas en entendre davantage.

Pourquoi tu danses quand tu marches ?

« Il est né mourant. C'est sûrement un indice. »

« Mais seule Vous, Sainte Aïcha, pouvez lui venir en aide ! »

Je pleurais de plus belle.

« Avec ce corps d'oisillon, il n'ira jamais loin ! »

Sortie de sa convalescence, ma mère cajolait mon morveux de frère qui, en retour, semblait la combler largement. Ossobleh buvait son biberon comme un dromadaire assoiffé, sautillait dans les bras de ma génitrice, puis lâchait deux rots et trois pets puants avant de s'endormir aussi sec. Ses selles étaient jaunâtres, souples et malodorantes, ce qui est bon signe Béa même si tu ne dois pas le savoir car à neuf ans tu te bouches le nez en allant au petit coin. Mon cadet se contentait de sourire à tout le monde et ne manquait pas d'éclater de rire quand on lui chatouillait le gras du ventre. Il poussait à vue d'œil, à la grande joie de la mère qui auscultait chaque heure ses jambes, ses bras, ses muscles et ses réflexes. Bref, un amour de bambin et tout mon contraire.

Ma mère ne s'occupait plus de moi. Suivant le chemin de la mère, Papa la Tige m'ignorait à son tour et grand-mère Cochise gardait la clef de son silence pour elle-même. Seule tante Dayibo évoquait mon état de santé lorsqu'elle priait avec ostentation, sans doute pour s'attirer les faveurs de sainte Aïcha qui ferait germer, comme par magie, la graine que son mari arriverait à déposer dans son ventre, si toutefois il y parvenait une seule fois. Il suffit d'un coup, comme au poker. Du moins c'est ce que les adultes susurraient entre eux, en croyant me tenir à distance de leurs confidences. Ils ne savaient pas que j'écoutais aux portes, que je farfouillais dans les malles de grand-mère Cochise, que je surveillais tout car je suis curieux de tout depuis toujours.

Puis un jour il y a eu un regain d'intérêt pour moi ou plus exactement pour mon prépuce. C'est grand-mère Cochise qui a posé le sujet sur la table. J'ai senti que ma mère n'était pas à l'aise avec ça. Elle a essayé de noyer le poisson mais ce n'était pas la meilleure technique pour extraire une idée de la tête de notre opiniâtre grand-mère. Sa réaction ne s'est pas fait attendre.

« Il faut arrêter une date. Je vais prévenir Omar le boucher. »

À ces mots, mon cœur est sorti de sa cage thoracique, mes jambes ont été parcourues de frissons, ma tête s'est mise à bourdonner comme un essaim d'abeilles affamées. J'ai poussé un cri déchirant. Grand-Mère m'a jeté un coup d'œil assassin. Continuer à pleurer risquait d'aggraver mon cas. Cesser de pleurer n'arrangerait pas mes affaires. Une partie de mon corps tremblait en dépit de mes efforts pour me calmer. Mon menton qui tremblait risquait de m'attirer les foudres de ma grand-mère. Toute la nuit j'ai été en proie à des cauchemars dans lesquels des petits hommes armés de seringues gigantesques me découpaient en mille morceaux. Emmenés par le vieil Omar, ils avaient des crochets et des lames de boucher. Cette nuit-là, j'ai inondé mon lit comme jamais auparavant. J'ai toujours eu la vessie fragile. J'avais l'habitude de retrouver dans ma couche une tâche de pipi de la taille d'une galette éthiopienne mais celle de ce matin-là battait tous les records. On aurait dit les travaux d'une semaine réunis par un contremaître pour décider s'il était content de ma production et s'il allait me garder sur son chantier.

Grand-mère Cochise mettait la dernière main à l'organisation de la cérémonie. Ce matin-là, ma mère n'a rien remarqué sur mon drap. Ou plutôt elle a choisi d'ignorer le désastre, son attention étant captée par le petit veinard qui provoquait chez moi, dès que je croisais son regard torve, une forte envie de chier. Une demi-heure plus tard, grand-mère Cochise a été mise au parfum par ma mère ou par tante Dayibo. Ou par la petite bonne Ladane, je ne m'en souviens plus. Résultat : elle a fait hâter le moment de l'opération sans anesthésie et envoyé Ladane chercher le vieux boucher. Mon impureté avait trop duré, clamait-elle. Il était temps d'y mettre un terme !

Je n'ai aucune envie de leur pureté, Béa.

J'aurais préféré garder le plus longtemps possible mon bout de chair qu'ils appelaient par des noms bizarres.

Ils parlaient de mon « voile »,
ma « coque »,
ma « pelure »,
ma saleté.

Ils avaient adopté les termes ridicules du boucher qui jouait parfois le samedi au barbier. Je n'allais pas aimer passer entre ses mains tout à l'heure.

Ni demain,
ni après-demain,
ni un autre jour de l'année.

J'étais encore un jeune enfant, Béa ! J'avais quoi ? À peine neuf ans. D'accord, neuf ans et des poussières mais Madame Annick aurait dit que les poussières ça ne compte pas pour nous autres les humains. Le boucher tremblotant pouvait patienter encore une ou deux années avant de venir aiguiser sa lame sous mon nez ou plus exactement entre mes jambes, voilà ce que je pensais. Personne ne partageait mon avis, semblait-il.

En me coupant le zizi, le vieux boucher m'a prélevé un gros morceau parce que j'avais beaucoup pleuré et l'avait donné à son chat Pompidou. Peut-être ma mère pleurait-elle aussi à mes côtés après avoir confié mon colocataire à Ladane. Pour m'infliger une bonne leçon, le vieil Omar s'était montré intransigeant. Idriss, mon cousin qui habitait à l'angle de l'avenue du Général-de-Gaulle et de la rue des Mouchards, n'allait pas me contredire quant à l'existence du bedonnant chat portant le nom de l'ancien président de la France et de notre TFAI. Pompidou avait, disait-on, un faible pour les prépuces assaisonnés à l'huile d'olive. Idriss n'était pas un vrai cousin, je veux dire un cousin même tonton même tata, mais ça ne faisait rien. Ma mère m'avait dit que c'était mon cousin, un point c'est tout. Idriss avait connu l'épreuve du couteau du vieil Omar il y a bien des années. Il serait de mon côté comme ma mère si toutefois elle se décidait à oublier un peu le roitelet et son biberon. Idriss serait là à me donner des conseils utiles. Comme un coach sur le terrain réchauffant le moral des joueurs, il s'agenouillerait et poserait une main sur mon épaule tandis que la lame me sectionnerait zzzziiifff le petit bout de chair si impur aux yeux des adultes bornés. Je serais content d'accueillir Idriss même si je n'avais pas été gentil avec lui par le passé. Je n'aimais pas le gros ventre d'Idriss, ni ses grosses cuisses et encore moins son odeur d'ail. Dès qu'il ouvrait la bouche, l'ail sautait sur toi, Béa, pour te recouvrir de son ombre. Sa bonne maman disait que l'ail soigne tout. Les maux de tête, les coups de froid, les brûlures et même les pleurs et les pollutions nocturnes. Moi je n'étais pas d'accord. Quand Idriss ouvrait la bouche et que l'ail sautait sur moi, mes yeux se mettaient à pleurer tout seuls. Je n'appellerais pas ça un médicament mais plutôt un produit aussi dangereux que Johnny et sa bande de coupeurs de gorge.

Idriss n'était pas le seul à trimballer une mauvaise odeur, d'ail et d'huile frite. Toute sa famille transportait cette pestilence. Sa mère, que tout le quartier appelait « Maman Peugeot », ou dans notre langue Ina Peugeot, vendait des beignets, des cornets de cacahuètes et des œufs à la coque devant la cour de notre école. Le matin elle sentait déjà mauvais quand elle arrivait avec ses casseroles et ses baluchons. À midi, elle ne sentait presque plus rien car la poussière et les effluves de gasoil avaient chassé les remugles d'ail et d'huile frite. Y a pas à dire, Ina Peugeot était très gentille. Rieuse, elle tapait ses mains potelées sur ses grosses cuisses lorsqu'elle partageait avec nous une histoire amusante. Elle travaillait sans relâche du matin au soir jusqu'à ce que le dernier élève soit parti et que M. Dini, mieux connu sous le nom de Lélastique, ait fermé derrière nous la grille de l'école du Château-d'Eau. Alors Ina Peugeot levait le camp, mais attention : elle n'avait pas fini de bosser comme une mule. Elle parcourait à pied les deux kilomètres qui séparaient notre école de la place des Chameaux qui ne dormait jamais. Là se déroulait le marché aux bestiaux. Les uns venaient vendre un mouton, une chèvre, une vache et pendant les périodes de fêtes un vieux dromadaire. Les autres venaient acheter une brebis, un bouc, un veau et pendant les périodes de fêtes un vieux dromadaire. Ina Peugeot ne rentrait chez elle que tard dans la nuit. Idriss, ses frères et ses sœurs l'aidaient place des Chameaux quand ils ne jouaient pas à cache-cache tout près de la fontaine. Il arrivait qu'ils se glissent entre les pattes des dromadaires ou des vaches pour s'endormir dans la chaleur apaisante des ruminants. Idriss m'avait confié que, dans la nuit profonde, il n'y avait pas meilleure cachette. Les vaches mâchaient toujours quelque chose et l'enfant caché sous leur ventre avait tout loisir d'observer leurs mâchoires qui ne cessaient de s'entrouvrir et de se refermer. Si tu étais cachée là, Béa, il fallait faire attention au bruit qui montait de l'estomac de la vache car elle pouvait t'envoyer un gros filet de caca chaud qui sentait si mauvais et qui te collait à la peau comme de la cire de bougie. C'est déjà arrivé plus d'une fois à Idriss Gueule d'ail. En plus de son parfum habituel, le pauvre a senti du caca chaud et collant dégouliner sur sa tête. Il m'a fait croire que ça sentait exactement comme l'herbe coupée.

Il mentait car tout le monde sait que les vaches de la ville mâchent des cartons et les restes trouvés dans les poubelles. Elles ont oublié la saveur des branches et des feuilles des arbres de la brousse. Espérer que le caca des vaches d'aujourd'hui sente l'herbe fraîchement coupée, c'est comme espérer décrocher une étoile du ciel. Normal, les vaches de la brousse et celles de la capitale ne parcourent pas la même terre rouge latérite. Elles ne fréquentent pas le même décor, ni le même ciel. C'est vraiment vrai comme tu dirais que le ciel montre certaines nuits les images imprimées sur son corps étincelant. Mais ces images sont tellement loin que personne ne sait vraiment de quoi elles sont faites. Nos aïeuls nomades ignoraient si elles sont en terre cuite, en brique ou en fer forgé. Moi, enfant du quartier du Château-d'Eau, je n'en avais pas la moindre idée. Un jour, peut-être, aurai-je un déclic.

Pourtant, les nuits où il faisait très noir, je ne pouvais pas m'empêcher de décoller les yeux du paysage, du ciel et de la lune. Une légende que grand-mère Cochise racontait du temps où elle voyait mieux et se montrait plus joyeuse parlait de la Lune d'une manière tout à fait magique.

Idriss a bien fait son travail de coach. Le vieil Omar a fait le sien. Ma mère n'était pas à mes côtés au cours de l'épreuve. Elle devait essuyer les fesses du petit connard qui buvait ses biberons et faisait ses nuits comme il faut. Ma convalescence a duré le temps nécessaire. Une bonne semaine avec le minimum d'eau et de nourriture. Je ne pouvais compter que sur moi pour faire face aux insultes et aux coups qui m'attendaient dehors. Je ne pouvais compter que sur mon obstination pour protéger mon territoire à l'intérieur de la famille. Ça n'a pas été facile d'abandonner mon corps ou plus exactement mon pénis aux mains du vieil Omar. Il n'y a eu personne pour me consoler. Par le passé, je n'avais pas été très sympa avec mes rares alliés. J'avais été injuste avec Moussa ! Et avec Idriss, je n'étais pas très gentil non plus. Notre relation s'était rompue à partir du jour où je l'avais surnommé Idriss Gueule d'ail. Et voilà qu'il était venu de lui-même pour m'offrir des conseils avant la circoncision. Au début j'avais un peu honte. Mais je n'avais pas osé m'ouvrir à lui. J'avais gardé cette honte pour moi comme un petit secret minable à conserver au fond de mon cœur. Maintenant il était temps de me racheter. Dehors, j'avais pas mal d'ennemis. Ici chez moi, ce n'était guère mieux. J'avais donc besoin d'alliés à l'école comme dans notre quartier.

Je n'ai pas eu l'occasion de remercier Idriss le lendemain. Il m'avait aidé à affronter la lame du vieux boucher qui faisait le barbier le samedi et même le vendredi matin pour les papas qui voulaient se montrer importants et élégants en soignant leurs moustaches avant la grande prière du vendredi.

Maigre comme un croque-mitaine, pâle comme un fantôme, je n'ai plus fermé l'œil les jours qui ont suivi ma circoncision. Mon entourage me considérait désormais comme un homme, je devais cesser de me plaindre une bonne fois pour toutes. Plus on me réprimandait, plus je me refermais sur moi-même.

Comporte-toi en homme, Aden !

La journée je restais allongé à côté de grand-mère Cochise. En fin d'après-midi, on me ramenait à la maison. Dans les deux cas, allongé et fiévreux, seuls mes yeux bougeaient, seules mes oreilles entendaient et enregistraient tout. J'avais l'impression que mon ouïe était plus aiguisée que ma vue. J'entendais à distance le frottement de l'allumette d'un fumeur posté à l'angle de la rue. Si grand-mère Cochise voyait mal, je pouvais lui annoncer quelques poignées de secondes à l'avance que Ina Peugeot viendrait la saluer. Je devinais le pas lourd de la mère d'Idriss Gueule d'ail avant que ma prunelle ne se soit posée sur son corps d'obèse. Mon esprit divaguait tandis que mon corps restait sous l'emprise de la fièvre.

La nuit tombée sur mon quartier, quelques lumières restaient allumées devant les maisons des plus riches d'entre nous. Allongé sur ma natte, j'écoutais la rumeur de la nuit. Djibouti se transformait en ville fantôme, aurait dit Madame Annick. Je m'enivrais de bruits nocturnes en attendant que ma blessure cicatrice.

Adieu mon prépuce !

Adieu mon enfance !

Je ne suis plus un gamin.

Quelque chose a commencé à bouger dans mon entrejambe.

J'ai changé.

Dans les petits restaurants de la rue des Gargotes obscures, les clients se bousculaient dans l'obscurité. On racontait que des femmes étrangères s'introduisaient dans des petits restaurants à deux pas de mon quartier. Elles commandaient une bière qu'elles décapsulaient avec les dents. Puis, jambes écartées, elles devisaient entre elles en attendant les hommes les plus audacieux. Des clients du restaurant venaient les rejoindre. Puis partageraient avec elles des éclats de rire avant de devenir leurs hommes d'un soir. Ces femmes aux lèvres écarlates, en quête de chéris, savaient patienter. Tard dans la nuit, leurs rires s'entendaient jusqu'au fond de mon quartier. Des hommes, ivres de fatigue, s'écroulaient sous les tables, entre les jambes ouvertes. Entre deux éclats de rire diaboliques, elles atteignaient l'orgasme. J'ai appris ce mot bien plus tard. Je me suis demandé comment des ivrognes parvenaient à mordre le gras de leurs cuisses. Ces femmes jouaient-elles la comédie ? Je n'ai pas rencontré ces hommes ni ces femmes mais tout le monde dans notre quartier connaissait leurs exploits.

La première fois que tante Dayibo a surpris la bonne Ladane en train de raconter ces histoires elle a convoqué la sainte Aïcha pour venir en personne sauver ces « pauvresses » et leurs bougres de clients. Grand-mère Cochise aurait, elle, grondé la bonne Ladane pour avoir rapporté des ragots de-ci de-là. Sa fille, ma tante Dayibo, sœur cadette de mon père Amine, adorait secrètement les histoires de la bonne. Elle évoquait tous les saints et les saintes qui peuplaient le Ciel mais elle écoutait toujours jusqu'au bout les histoires salaces. Tout devenait vrai pour tante Dayibo dès lors que la voix de la personne qui racontait l'histoire était captivante. Le cœur de tante Dayibo acceptait les histoires de la bonne Ladane comme il acceptait que la terre ait été créée en sept jours et sept nuits.

Moi, je voyais les choses un peu différemment. Je ne tenais pour vrai que ce qui me servait à quelque chose. Je partageais avec tante Dayibo la fascination pour les histoires de la Création qui sont détaillées dans le Coran tout comme celles qui sont arrivées au Prophète Issa que Madame Annick désignerait sous le nom de Jésus le Christ ! À propos du Prophète, tout était consigné fidèlement, prétendait tante Dayibo qui était aussi ronde que la Reine de cœur dans *Alice au pays des merveilles* ; tout, du jour de sa naissance jusqu'à sa mort à trente-trois ans. Mon père Amine avait dépassé cet âge mais personne ne conserverait sa mémoire avec la même ardeur que celle du Christ. Quand je serais un peu plus grand et que Madame Annick ou une nouvelle maîtresse nous demanderait de raconter une histoire – on appelait ça la rédaction, Béa, et toi aussi tu feras merveille dans cet exercice dans deux ou trois ans –, je glisserais une ou deux aventures arrivées à mon père et je les mélangerais avec celles évoquées par la bonne Ladane, par le vieil oncle Aden ou encore par grand-mère Cochise du temps où elle était une petite bergère qui gardait son troupeau de chèvres. Attention, grand-mère Cochise n'aimait pas qu'on lui rappelle son âge. Elle venait d'un autre monde et d'une autre époque. Enfant, elle avait entendu parler de la domination des Français, des Anglais et des Italiens qui s'étaient partagé la terre de nos ancêtres. C'était avant le TFAI ! À cette époque, le cerveau d'un Haut-Commissaire rêveur, du temps du général de Gaulle, avait donné à notre terre un nom plus facile à retenir.

Trois petites lettres.

CFS.

Côte française des Somalis.

Ce matin-là, tout a démarré de manière ordinaire et ce à une période, Béa, où je ne dansais pas encore quand je marchais. Ce devait être un matin banal. Au pays de l'enfance et de la chaleur familiale, les jours précédents n'avaient pas comporté de faits singuliers à signaler. Tous les matins précédents, le soleil avait quitté son lit d'ouate pour monter dans le ciel et chasser les nuages de mauvais augure. Je crois, non, je sais à présent que ma vie a basculé ce matin-là. Que la foudre est tombée sur mes frêles épaules. Ma mère me dira plus tard que le ciel était clair, étonnamment clair, mais comment pouvait-elle en être certaine ? Ce qui est sûr, c'est que je me suis levé tôt ce matin-là. Que j'ai attendu ma mère sur le rebord du lit. Je l'ai attendue un long moment. Puis elle est arrivée sans un mot. Elle m'a habillé comme d'habitude dans la pénombre de la chambre. Toujours silencieuse. Revêche et distante. Pas l'ombre d'un sourire, pas de baiser.

Je me revois dans la rue, juste en face de chez nous.

Tout est au ralenti, gelé dans le présent du trauma.

Ma mère me tire par la main.

Je tombe.

Ma culotte mord la poussière.

Elle m'envoie à la figure des mots durs, me tire de nouveau.

Je tombe encore, ma culotte mord la poussière.

Elle s'arrête, reprend son souffle pour me tirer une nouvelle fois.

Elle me tire si fort que je sens ma clavicule se déboîter.

Et je tombe encore une fois, cette fois plus méchamment que les précédentes.

J'ai mal mais je ne dis rien.

Aucun mot ne sort de ma bouche.

Ma mère me tire de nouveau.

Et je tombe.

C'est grand-mère Cochise qui rompt le calvaire.

Elle était assise à sa place habituelle, depuis le lever du soleil.

D'une voix ferme, elle tance ma mère :

« Tu ne vois pas que cet enfant ne peut pas marcher ! »

Je me tourne vers ma grand-mère.

Ma mère me tire par le bras une nouvelle fois, je tombe comme les fois précédentes.

Souffle coupé, ma mère lâche enfin ma main.

Elle fait quelques pas avant de s'asseoir pour reprendre son souffle.

Je reste le cul dans la poussière.

Cet instant est le plus long de ma vie.

Son poids le plus lourd.

Ma mère ouvre enfin la bouche pour recoller les morceaux.

« Pourquoi il tombe aujourd'hui ? »

La voix calme et claire de grand-mère Cochise fuse :

« Sa jambe, elle ne tient pas. »

Affolée, ma mère fonce sur moi, me soulève, essuie la poussière de mon short.

Son regard s'adoucit.

Elle masse ma jambe.

Je crois que je ne sens rien.

Le mal est ailleurs.

Il a migré dans la tête.

C'est un corset.

Je le porterai toute ma vie.

C'est la cohue dans la maison. Les passants s'arrêtent pour recueillir des bribes d'information. Les voisins vont et viennent, les uns plus inquiets que les autres. Les matrones réconfortent ma mère Zahra comme si elle venait de perdre un nouvel enfant en bas âge. Je passe de main en main comme à l'époque où, nourrisson, je ne faisais que pleurer. On me soulève, on me soupèse. On palpe mes membres supérieurs, mon torse, mon échine. On masse mes jambes. On les frictionne avec des pommades. Je crois que je ne sens pas grand-chose. J'arbore un visage endeuillé, des yeux ronds et mouillés. Je n'ai pas particulièrement mal, du moins je n'ai pas le moindre souvenir d'une douleur, voire d'un picotement. On me trimbale de dispensaire en dispensaire. Les infirmières débouchent des flacons d'alcool et étalent des rouleaux de coton. Elles jettent un coup d'œil sur ma jambe. Pas de plaie à nettoyer. Leur étonnement était sur leurs lèvres :

« Madame, on ne peut rien faire pour lui. »

Quand elles nous revoient la semaine d'après, ce n'était plus un étonnement mais un reproche définitif.

« Madame, allez voir un vrai docteur… »

Je crois qu'après la circoncision, le début de la fin de l'enfance remontait à cette visite au premier vrai docteur qui nous a reçus à l'hôpital Peltier, le plus grand du pays. Docteur Toussaint était un vrai Français de France comme Madame Annick. Il avait une blouse blanche qui cachait tout sauf le bout de ses chaussures marron. À entendre son pas qui a fait trembler un peu le plancher, j'ai su d'instinct que le docteur Toussaint avait des jambes solides, bien galbées dans ses chaussettes, et un corps robuste de militaire. Après avoir échangé quelques mots avec l'infirmière, cette dernière a traduit aussitôt en français les quelques mots que Maman avait prononcés. Le visage grave, le docteur Toussaint s'est tourné enfin vers moi. Il m'a jaugé, puis m'a soulevé. Dans ses bras, j'ai eu l'impression d'être un petit oiseau flottant dans la paume de sa main. Une deuxième infirmière est arrivée avec un grand seau bleu. En le posant au milieu du cabinet, elle a fait tomber par terre quelques gouttes d'eau. Suspendu dans les airs, je me recroquevillais par crainte de ce qui allait se passer dans les minutes à venir. Je n'ai pas eu le temps de lire quoi que ce soit sur le visage de Maman. Une surprise m'attendait. Les yeux verts du docteur Toussaint continuaient de m'ausculter. Ça y est, il s'est accroupi, les fesses sur les talons, et dans cette position il était largement plus grand que moi. D'un coup sec, il a extirpé de mes jambes ma culotte grise à force de mordre la poussière. Puis, il m'a soulevé. Mon petit corps flottait entre ses deux bras robustes. Ensuite il m'a jaugé à nouveau avant de me plonger dans la grande bassine bleue. Il tenait à me faire asseoir dans l'eau, Béa. Quelle idée, avait dû penser ma mère. Et en effet, il tentait de me remettre sur mes deux jambes, de me faire asseoir à nouveau avant de redresser mon corps. Pendant tout ce temps, ma mère n'avait pas prononcé un seul mot. Elle regardait les grandes mains velues du docteur Toussaint malaxer tout mon corps, de la tête au pied. Elle n'avait jamais vu un médecin s'occuper de moi de cette manière. Et cette fois, ce n'était pas dans un dispensaire de quartier. Nous étions à l'hôpital Peltier. Un vrai docteur discutait avec ma mère Zahra. Elle ne comprenait pas la langue de Madame Annick mais une petite infirmière avait fait son travail en traduisant ses mots au docteur Toussaint. Le silence de ma mère était solennel. Seule sur une île déserte entourée de requins bouledogues, elle aurait été plus loquace que face à ce docteur qui la scrutait avec la lame de ses yeux verts et lumineux comme le saphir.

Ma mère a pensé qu'il voulait lui soutirer quelque chose. Si on lui avait posé une question précise, pour sa défense elle aurait avoué qu'elle ignorait tout du mal qui me rongeait depuis quelques jours. Un matin je me suis levé dans cet état. Allait-il prendre ses mots pour argent comptant ? S'il avait voulu creuser davantage, elle aurait ajouté qu'elle avait été la dernière à se rendre compte qu'une force étrange et inconnue me tirait toujours vers le bas. Qu'elle s'était acharnée sur moi, en vain. Le résultat était le même : je retombais et restais les fesses dans la poussière. Pour le docteur Toussaint, elle s'est montrée plus diserte. Elle a raconté que c'est la grand-mère qui avait localisé le foyer du mal :

ma jambe droite. C'est ma jambe droite qui se dérobait chaque fois qu'elle essayait de me tirer comme elle le faisait tous les jours car le matin elle avait mille petites choses à faire et n'avait pas le temps de satisfaire mes caprices. Et comme je restais un enfant rêveur et paresseux, elle ne faisait que me rendre service en me secouant de la sorte. Tout cela, elle l'aurait dévoilé si seulement le docteur Toussaint lui avait demandé de s'étendre sur ce jour et ce mal qui nous ont conduits à demander ses services trois jours plus tard. Le docteur Toussaint était resté insensible au flux des pensées qui se bousculaient dans la tête de Maman. Il avait continué à me pétrir les bras, les jambes et même les os du crâne. J'entendais sa respiration lente et calme. J'étais un petit oiseau dans ses mains. Un objet d'étude. Une énigme.

À force de caresses et de mots doux prodigués par la famille, j'ai trouvé un peu de réconfort. Ma jambe me faisait moins souffrir mais je savais que je n'étais pas tiré d'affaire. J'ignorais si la guérison serait longue et je m'y préparais à ma façon en m'évadant par tous les moyens. Je passais des journées entières assis, presque immobile, prenant l'habitude de contempler les gens et les choses autour de moi. En petit-fils de nomade, je rêvais d'animaux familiers. Spéculer sur leur présence me faisait l'effet d'un baume au cœur. Je m'imaginais caressant l'encolure d'un bélier, passant la main le long de ses cornes, chassant les mouches qui tournaient autour de ses yeux. Je me voyais tantôt en bouc boudeur, tantôt en agneau bêlant, indifférent aux regards des adultes. Je me réfugiais aussi dans le passé. La machine à remonter le temps n'avait plus aucun secret pour moi, je la démontais et la remontais comme un mécanicien démonte une pièce de la voiture, la nettoie pour la remonter aussitôt sous le capot. Cette rêverie avait beaucoup de charmes. Elle serpentait comme une rivière dont la source se situerait en enfance. Il me suffisait, Béa, de fermer les yeux pour retrouver toutes les images et toutes les sensations. Le ballet de fourmis dans la cour de mon école primaire et son portail moitié blanc moitié bleu était une autre de mes distractions préférées. Je contemplais également les longues traînées de cendre qui partaient de notre cuisine, puis se faufilaient entre les marmites et les jarres de terre et les casseroles en alu pour se perdre chez les voisins. Les fourmis, quel ballet et quel paysage ! Observer les fourmis n'est pas une chose aussi facile que tu peux le croire, ma fille. Il faut disposer de tout son temps et ne pas se laisser contaminer par la rumeur de la ville.

J'avais tout mon temps. Désormais les autres enfants qui n'étaient plus mes amis disputaient d'interminables matchs de football sur les terrains vagues. Seules les fourmis me tenaient compagnie. Elles étaient là pour moi, comme les geckos. Toujours fidèles, même la nuit.

Un jour ma mère a décidé de m'emmener à la plage de la Siesta. J'ai quitté mes fourmis avec tristesse. Tante Dayibo était de la partie. Arrivées sur la plage déserte, toutes deux se sont lancées dans une longue conversation où il était question de mariage, de dot et de baptême. Il n'y avait pas de fourmis sur la plage. Et c'était mieux ainsi car sinon le vent qui venait de la ville les aurait emportées pour les jeter dans la mer qui commençait à fouetter les rochers.

Je me sentais tout seul.

Sans mes fourmis.

Sans mes geckos.

Seul, encore une fois.

J'avais beau chercher une distraction, je ne voyais pas d'autre recours que ma mère.

J'ai lancé un petit caillou en direction des femmes pour attirer leur attention. Elles continuaient de discuter. Une minute plus tard, je leur ai lancé un autre petit caillou qui a fait réagir ma génitrice. Elle a enfin compris mon manège.

Pourquoi tu danses quand tu marches ?

Moi (de face) : Maman, tu peux me mettre dans l'eau, je veux me baigner, j'en ai assez d'avoir la jambe dans le sable depuis une heure ?

Elle (de dos) : Le docteur, il a dit que le sable c'est bon pour ta jambe.

Dans le quartier, les langues se sont déliées assez vite. Les plus indélicats ont plaint ma mère, mon père et toute la maisonnée. Les plus imprudents ont pointé du doigt Grand-Mère, susurrant que la famille ne récoltait que ce que la matrone avait semé depuis toutes ces années. Mais le pire dans l'histoire, s'indignaient les plus téméraires, c'est qu'elle faisait porter le chapeau à un pauvre enfant qui n'avait offensé ni le Seigneur ni Satan. Les plus délirants imaginaient que le bon docteur Toussaint, parce qu'il s'était épris de mon cas, allait m'envoyer en France pour une opération chirurgicale. Après quelques semaines, les docteurs français m'enlèveraient la broche et les clous. Puis, je ferais ma rééducation dans un centre adapté. De retour, j'aurais une chaussure orthopédique que je n'aurais plus qu'à cirer tous les jours car elle devait garder sa belle teinte noire.

Après le sarcasme et les insinuations des adultes, les choses ont pris une autre tournure. J'ai subi de plus belle les insultes de leurs enfants. J'ai gémi sous les coups. J'ai fui en sautillant sur une jambe quand un petit vaurien, souvent le plus faible et le plus muet de la bande, avait décidé de me prendre pour cible. Les cailloux pleuvaient sur ma tête. Je n'avais qu'une issue : fuir loin. Fuir, même sur une seule jambe valide.

La pluie de cailloux était certes moins fréquente que les coups de poing en plein visage ou à l'estomac. Moins fréquente que les crachats à la figure. Mais tous les jours, j'ai eu droit aux insultes et autres noms d'oiseaux. Mis bout à bout, ils font un collier abject.

« Avec sa jambe, il ne pourra plus courir après les cabris comme ses ancêtres nomades. »

« Toi, t'as intérêt à être bon à l'école ! »

« Ce n'est pas avec ce physique que tu vas gagner ton pain comme docker au port. »

« Tu as vu sa jambe, on dirait un tire-bouchon ! »

« Ce n'est pas avec ton pied-bot que tu marqueras des penaltys. »

« Admirez sa guibole de vieillard, desséchée et tordue. C'est un exemplaire unique au monde ! »

Les souvenirs des dispensaires étaient de plus en plus lointains et les recommandations du docteur Toussaint tombées dans les oubliettes. Ossobleh était le nouveau roi de la maisonnée. En secret, je haïssais toute la famille mais je gardais mes pensées pour moi. D'ailleurs, personne n'a jamais eu l'idée de solliciter mon avis pour quoi que ce soit. Personne ne se souciait de moi. Je grandissais à mon rythme bizarroïde. Personne ne m'attendait. J'échafaudais des plans dans ma tête, Béa : courir pour attraper ce monde qui m'échappait. Quitter à jamais ce monde étriqué.

Tu sais, Béa, que chaque fois que je reviens sur cet épisode c'est une déchirure. Une déchirure parce que je suis contraint de me replonger dans ce que j'ai vécu à partir de ce matin funeste. Les souvenirs affluent de toutes parts. La mémoire est une force impérieuse, un courant qui emporte tout sur son passage. Impossible de la contrôler, impossible de lui échapper. Elle me fait revivre, en cet instant même, ces images vues et vécues qui me serrent le cœur et qui me trempent de sueur. Tu as demandé pourquoi je danse quand je marche. Tu le sais à présent pourquoi. Tout a commencé ce matin-là dans la poussière de la cour familiale. J'avais quoi, Béa ? Sept ou huit ans, ton âge hier. Et si ce passé peut nous paraître éloigné, la mémoire m'y transporte à nouveau. Et le lointain devient soudain si prochain. Depuis cette épreuve, je suis le même et je suis un autre, ma petite Béa.

Un autre, oui.

Un autre qui danse tous les jours.

Un autre qui danse sans le vouloir.

Un autre qui danse quand il marche.

Je trottinais tant derrière Ladane que j'en oubliais le charme du collège. Je délaissais la lecture qui est en quelque sorte une conversation avec des fantômes qu'on appelle des personnages. Pas besoin d'être sorcier pour se rendre compte que Ladane n'était pas un fantôme, elle. Son visage, ses lèvres boudeuses, sa coiffure maladroite, tout concourait à me mettre le cœur à l'envers. Je ne crache pas sur la lecture et comme moi Béa tu chéris cette activité. Mais tout le monde ne partageait pas ce goût pour la lecture dans mon quartier. Attention tu vas devenir aveugle, me prévenait ma mère Zahra en proie à une nouvelle peur panique en me voyant dévorer un *Pif le chien* ou un *Picsou Magazine*.

Cette passion de la lecture m'a permis de me rapprocher des filles qui m'intimidaient beaucoup mais cette passion avait un prix aussi. Parce que j'aimais la lecture plus que toute autre chose et parce que deux ou trois filles partageaient mon vice, j'ai été l'objet de railleries de la part des garçons.

« Sale pédé, cours si tu peux ! »

J'ai été raillé souvent.

Moqué cent fois.

J'ai même reçu des coups de pied rageurs.

J'ai essuyé des insultes vulgaires :

« Pédale, tire-toi ! »

J'ai hâté le pas.

Les cris et les rires ont redoublé :

« Attention, tu vas t'écrouler ! »

Mon livre ou ma revue sous le bras, j'ai essayé de courir pour échapper à leur vindicte. Un matin, des abrutis m'ont poursuivi, le rictus carnassier. Je sentais leur souffle sur ma nuque. J'ai trottiné tout en cherchant des yeux un adulte. Par chance, il y avait une assemblée de femmes pas trop loin. Cette fois, j'étais sauvé. Si je m'étais aventuré aussi loin de mon quartier, c'était pour emprunter un magazine à des filles qui me les passaient lorsqu'elles avaient fini de lire. Elles savaient que je lisais tout ce qui tombait entre mes mains. Je ne faisais pas la fine bouche même devant un roman-photo comme *Nous Deux*. Les livres, les revues, les magazines et les bandes dessinées étaient des denrées si rares dans notre quartier, j'étais toujours prêt à braver la canicule et les quolibets pour aller chercher à l'autre bout de la ville un vieux livre tombant en lambeaux ou un *Paris Match* trempé. Une autre fois, je m'étais aventuré en claudiquant si loin de mon quartier que je m'étais perdu dans une forêt de maisonnettes en bois et de rues anonymes. Je tournais en rond et par malchance voilà que je venais de repasser dans une ruelle caillouteuse. Me voyant errer, un crétin en short kaki s'est levé et avancé vers moi. Soudain il a saisi une bouteille. Il me l'a envoyée dans la gueule. La bouteille s'est écrasée à quelques centimètres de ma tête. Elle a failli me laisser borgne.

« Sale pédé ! La prochaine fois, je raterai pas ton cul ! »

Cet incident m'a refroidi un temps, Béa. Les jours passant, ma réserve de livres et de revues a fondu comme les gouttes de pluie dans la plaine asséchée de Yoboki. Je devais repartir à l'aventure la peur au ventre. Je devais étancher ma soif de lecture, affoler mes neurones, garder mon esprit en éveil. Je lisais tout ce qui me tombait entre les mains car mon appétit restait toujours vif. Les notices collées sur les boîtes de conserve et de cartons d'emballage ne pouvaient pas échapper à mon œil fureteur. Tout ce qui avait atterri, par miracle, dans notre bidonville, je le retrouvais tôt ou tard. Les bandes dessinées toutes déchirées ? Oui. Les beaux romans que Madame Annick évoquait avec gourmandise ? Non. Je n'avais jamais vu *Les Mystères de Paris*, *Les Lettres de mon moulin*, *Les Trois Mousquetaires*, *Les Misérables*, *Le Petit Chose* ou *Sans famille* traîner dans mon quartier. Les choses qui se passaient à l'école n'arrivaient jamais à s'introduire dans nos foyers. Inversement les odeurs et le boucan d'enfer de notre quartier ne franchissaient pas les grilles de l'école du Château-d'Eau. Seuls les enfants passaient le matin du quartier à l'école. Puis rebroussaient chemin en fin d'après-midi. Quand je rentrais chez moi à la fin de l'école, il m'arrivait de réciter un poème ou une chanson que Madame Annick nous avait d'abord lu, puis elle avait demandé de souligner les mots difficiles afin de les expliquer par la suite. Quand je revenais à la maison en ayant dans la bouche une partie du poème ou un bout de récit, les choses se présentaient alors sans difficulté. Je partais réciter « Sur le pont d'Avignon » à la bonne Ladane qui m'écoutait jusqu'au bout, ses yeux marron clair plongés dans les miens. Maman me faussait compagnie au bout des deux vers et grand-mère Cochise me grondait avant que je n'ouvre la bouche.

Ladane m'écoutait, elle, jusqu'au bout. Elle me demandait avec son air de petit chiot de quoi parlait ma chanson. Je lui racontais ce que j'avais retenu des explications de Madame Annick. Je lui répétais que les Français de France sont des gens heureux qui dansent toute la nuit au clair de lune. Elle s'étonnait puis me demandait si c'était comme ça chez eux tout le temps. Non, pas tout le temps, mais très souvent, me suis-je avancé. Et c'est quoi ce Davignon ? Je soupirais, inventais une histoire en essayant de cacher mon embarras sous un éclat de rire. Puis je me suis repris en fanfaronnant. Mais c'est facile. C'est un pont, c'est un pont ! Il suffit d'écouter la chanson, Ladane. Il y a la tour Eiffel – ça elle se le rappelle pour l'avoir vue en carte postale – mais il y a aussi le pont Davignon. Je lui ai récité les grandes villes de France comme Paris la capitale aux mille lumières, comme Marseille d'où nous vient le merveilleux savon qui lave mieux que tous les savons de nos familles réunies. Comme Toulon où il y a aussi beaucoup de soldats et beaucoup de bateaux militaires. J'ignorais encore de quelle ville venait Madame Annick mais cela n'avait plus désormais une grande importance pour moi.

Ladane est arrivée chez nous au cours de l'hivernage qui a suivi la fin de mon cycle primaire. Dès que je l'ai vue, ç'a été le coup de foudre. Comme un chien en quête de son maître, j'ai tourné autour de Ladane. Je l'ai reluquée à la dérobée. La coquine n'était pas dupe quand elle soulevait un pan de sa robe et que je parvenais à glisser mon regard à l'intérieur de ses cuisses musclées par la marche. Elle n'avait rien à envier aux lycéennes françaises qui se pavanaient en maillot sur la plage des Tritons et hurlaient de joie en sortant de l'eau, tordant leur chevelure comme les sirènes pour l'essorer. Aucune n'égalait en charme et en mystère Loïs Lane retrouvant les bras vigoureux de Superman. Ma Loïs Lane à moi, tu l'as compris, c'était Ladane. Elle avait une beauté rustique. Elle sentait l'huile de friture et le détergent. Ses effluves m'enivraient dès qu'elle passait à proximité. Quand elle faisait la vaisselle, j'admirais la pointe de ses longs doigts dans l'eau savonneuse. Quand elle se penchait pour ranger les assiettes, je balayais du regard son dos, ses mollets et surtout ses fesses.

Grande, maigre mais souple, Ladane n'avait pas été bien nourrie dans sa rude jeunesse. Ses joues étaient creuses même quand elle éclatait de rire en me susurrant des mots inaudibles. Ses genoux s'entrechoquaient quand elle marchait. Ladane était plus âgée que moi, je crois qu'elle avait dans les dix-sept ans. Elle n'avait pas mis les pieds à l'école. Elle n'était pas mariée, non plus. Avant d'atterrir chez nous, elle avait travaillé pour une autre famille vivant dans une autre ville ou dans un gros village appelé Dasbiyou ou Daouenleh, je ne sais plus. La sécheresse avait ravagé la brousse qui a vu naître Ladane. La misère a dispersé sa famille, jetant un membre ici, un autre plus loin. J'étais content qu'elle ait choisi notre maison. Tous les matins, je la regardais travailler. Elle se levait avant tout le monde et même avant le coq qui poussait son énervant cocorico.

Je venais de faire mon entrée dans l'adolescence. Tu peux peut-être me comprendre maintenant. Je ne te demande pas des comptes sur tes petits amis, j'espère que tu ne me trouveras pas ridicule. Ladane est le pavillon sous lequel a navigué ma prime adolescence. Ladane m'a subjugué très tôt. Elle était la fleur de lotus qui trônait dans la boue de mon quartier. Elle avait un sacré physique, la diablesse. Une chose est sûre, elle n'avait pas de force dans ses bras un peu trop longs par rapport au reste de son corps. Ladane peinait à soulever le seau d'eau au-dessus de ses épaules. Quand je me levais pour l'aider, grand-mère Cochise me jetait un coup d'œil courroucé. Ladane devait balayer la cour, laver le linge, courir chez Hadja Khadîdja pour ramener un kilo de riz, une botte de poireaux ou une boîte de sardines selon la somme d'argent que ma mère lui avait remise. Je n'avais pas à me mêler de ces tâches domestiques qui revenaient à Ladane. Je devais rester concentré sur mon travail scolaire, pensait Cochise. Qui m'avait donné l'autorisation de m'introduire dans la boutique de Hadja Khadîdja où l'on trouvait tous les produits possibles et imaginables : du fromage en poudre jusqu'aux cages grillagées pour piéger les souris, les rats et les petits serpents qui sont souvent plus dangereux que les gros boas.

J'avais peur de tout, je ne m'endormais pas facilement. Peur de Hadja Khadîdja quand elle glissait ses doigts d'araignée dans les sacs de riz, de farine ou de haricots rouges et qu'ils en ressortaient tout blancs, couverts d'amidon. Hadja Khadîdja fourrait l'index et le pouce dans sa bouche. Elle les léchait avec ostentation, les suçait avec un plaisir évident. Dès que la bonne Ladane se postait devant la grosse Hadja Khadîdja, elle bafouillait et fondait en excuses. L'ogresse aux doigts bagousés la grondait avec malice.

Tous les matins, ma mère mettait une somme d'argent dans la paume de la main droite de Ladane. J'ai essayé plusieurs fois de deviner le montant mais je ne l'ai jamais su avec certitude. Une fois ou deux, j'ai vu d'assez près le billet chiffonné et les deux ou trois pièces mais je n'étais pas encore assez bon en calcul pour trouver la somme. Madame Annick m'aurait grondé si elle avait su que je n'étais pas doué en arithmétique alors que j'étais au collège. En fonction de cette somme, je pouvais ou non réclamer des friandises, des boissons. Je m'en fichais des cornets d'arachides grillées. Ce que je voulais, c'était trottiner derrière Ladane et admirer la longue tresse qui descendait le long de son dos et qui bougeait à chaque balancement des hanches. Si Ladane se mettait à courir, je voyais de loin la mèche tressauter et lui caresser le dos. Je traînais ma patte folle mais attention, j'avais une bonne vue et tout le monde reconnaissait mon regard perçant.

Je trottinais derrière Ladane pour admirer la souplesse de ses muscles dorsaux. À la nage, elle aurait fait merveille comme Margherita ta mère qui enchaîne les crawls et fait la brasse avec une facilité déconcertante. Au contraire de Moussa, mon voisin de pupitre qui ne m'adressait plus la parole depuis des semaines, je ne savais pas nager. Je barbotais dans la mer et n'avais jamais mis les pieds dans une piscine. Il n'y en avait pas une seule dans la ville indigène de mon enfance. Autre point de divergence avec Moussa, je n'aimais ni les beignets ni les samossas. Je détestais les œufs qui rendaient l'intérieur de la bouche tout sec. Quand la mère de Moussa les lui avait donnés, je le savais sans me tromper car Moussa lâchait des rots puants. Je me bouchais le nez, secouais la tête. Moussa continuait à tracer les lettres rondes avec son stylo plume flambant neuf. Il faisait comme s'il ne m'avait pas vu faire des grimaces de dégoût. Je finissais par me pincer le nez. Moussa continuait son exercice comme si de rien n'était. Il s'imaginait peut-être que j'étais un fantôme comme on les rencontrait dans les bandes dessinées que Madame Annick nous lisait autrefois, à la fin de la journée, lorsque nous avions bien travaillé.

Pas de doute, Ladane était innocente. Elle venait de la brousse, ses parents ne pouvaient plus la garder auprès d'eux parce qu'ils étaient pauvres ou morts. Je ne comprenais pas comment des adultes pouvaient faire des dizaines d'enfants et après les laisser partir ou les déposer ici ou là comme s'ils étaient une valise encombrante. J'étais enragé par des adultes et j'imaginais que plus jeunes, les parents de Ladane étaient de l'espèce terroriste de Johnny et sa bande qui ne semaient que la violence sur leur chemin. Dès que j'évoquais ses parents, la bonne Ladane me regardait avec des yeux de chiot apeuré. Pourtant elle n'était plus une gamine. C'était une jeune femme désirable qui allait sur ses dix-sept ans.

Enfin c'est ce qu'elle disait à tout le monde car elle venait de la brousse et là-bas, dans les djebels, personne ne connaissait sa vraie date de naissance. Personne n'avait poussé de chanson le jour de sa naissance. Personne n'avait préparé un gâteau comme Madame Annick pour ses enfants. Personne n'avait prévenu l'imam ou l'officier de l'état civil. Mais où est-ce que j'avais la tête Béa, il n'y avait pas de mosquée dans le djebel. Les ouailles devaient se débrouiller toutes seules dans les gourbis, c'est-à-dire des trous dans la montagne qui n'avaient ni électricité ni vaisselle. Elles ne profitaient pas de la science religieuse pour les aider à grandir. Je savais par grand-mère Cochise que ces gens-là avaient tous les yeux un peu rapprochés, les sourcils en accent circonflexe. Ils avaient l'air idiot car toutes les nuits, les enfants cherchaient la lumière dans leur gourbi plus sombre que le cul de Satan. Même que certains n'essuyaient pas la bave qui leur pendait aux lèvres, on les appelait les crétins du djebel. Ils finissaient bouchers ou assassins. Heureusement que Ladane avait échappé à la sécheresse et à la famine du djebel. Même si chez nous, elle devait travailler du chant du coq au coucher du soleil. Même si elle courait dans le coin de la cour qui servait de cuisine pour faire tinter les casseroles et remettre à maman le plat de haricots blancs ou la soupe de pois chiches que mon paternel adorait. Dès qu'elle entendait le boucan d'enfer de la Solex de mon père, Ladane bondissait comme un fauve. Elle restait en faction jusqu'à la fin du dîner. Ensuite, elle devait laver les ustensiles et ranger la cuisine. Si Papa la Tige laissait quelque chose au fond de son assiette, il fallait le remettre à la matrone. Grand-Mère rappelait à Ladane qu'il ne fallait pas se gaver de nourriture dans la nuit car ce n'était pas très bon pour la digestion sauf pour les enfants comme Ossobleh qui devaient se goinfrer à toute heure et laisser comme preuves des cacas bien souples et bien malodorants. Grand-Mère adorait les humer avec joie et émotion. Elle préférait les cacas vert et jaune d'Ossobleh qui allait vers ses cinq ans à mes crottes de bique. Ce n'était pas de ma faute si je n'aimais pas manger, si ma jambe me faisait toujours mal, si la visite au médecin n'avait rien donné ou si cette guibole me remplissait de honte. Ce n'était pas de ma faute si Ladane avait atterri chez nous et si j'aimais les yeux châtaigne de cette fille du djebel qui était beaucoup plus âgée que moi. Dans un an ou deux, Grand-Mère lui trouverait un mari, un boucher du djebel peut-être. Et moi je devrais trouver un mur contre lequel j'irais me cacher, sangloter et pousser mes lamentations à l'abri de la matrone.

Je n'ai plus revu Moussa deux œils. Je l'ai surnommé ainsi parce qu'il se donnait un mal de chien pour maîtriser les pluriels compliqués. Il était le premier, mais cependant pas le dernier à dire les chevals, les animals et les œils en classe de 4e. Il était passé au collège par miracle, Moussa deux œils. La grande majorité des élèves de l'école du Château-d'Eau n'étaient pas allés aussi loin, Béa. Pourquoi s'attarder davantage dans la jungle de la langue française ? Finie l'école, à eux la rue ! Et s'ils voulaient jouer et rêver encore comme des enfants, les parents étaient là pour les remettre sur le droit chemin. Les fils des bouchers allaient bientôt s'armer à leur tour de couteaux et coutelas. Les fils des menuisiers allaient coincer derrière leur oreille un crayon hérité de leur père ou de leur grand-père. Les filles de la boulangère allaient surveiller les corbeilles à pain. Les enfants dont le paternel conduisait un bus comme Moussa deux œils se retrouveraient derrière le volant. Moi j'étais resté sur mes rails. Personne n'avait voulu me pousser dans une quelconque direction. J'ai maintenu le cap. J'étais sorti de l'école la tête haute. J'étais, comme le stipulait mon bulletin scolaire, « admis à poursuivre les études dans le cycle secondaire ». Mais ce n'était pas tout. J'avais reçu la mention « Encouragements du directeur » et récolté un lot de livres.

Je n'ai plus jamais revu Moussa deux œils qui, à dix ou onze ans, était déjà un sacré gaillard. Une grande gueule aussi. D'étranges bruits couraient sur son compte. Certains croyaient savoir qu'il était derrière les barreaux, qu'il était tombé pour des petits larcins. D'autres prétendaient qu'il fréquentait les bars à légionnaires, qu'il était devenu leur femmelette. Avant lui, d'innombrables filles et garçons étaient tombés dans ce traquenard. Nul n'avait vu quelqu'un revenir vivant du monde reptilien et marécageux des légionnaires.

Un jour, deux ans plus tôt, j'étais sur la grande route qui traverse notre quartier du Château-d'Eau, tenant la main de ma tante Dayibo. Elle marchait vite ce jour-là, l'esprit ailleurs. Je trottinais derrière elle, et toutes les trente secondes elle tirait ma main d'un grand coup qui me projetait en avant. J'étais à chaque fois sur le point de m'écrouler mais l'énergie de ma tante me remettait sur mes pattes. Ou plus exactement sur ma patte gauche, la valide tandis que je me déhanchais en diable du côté droit. C'était ma nouvelle habitude : le déhanchement rockabilly comme je l'apprendrais dix ans plus tard. Ce midi-là, tante Dayibo ne transpirait pas. Elle ne sentait pas mauvais de la bouche. C'était une de mes premières sorties à pied. Et ma patte folle soulevait un peu de poussière à chaque déhanchement. Je mesurais les progrès accomplis : je marchais et, qui sait, j'allais bientôt courir. Voler. Et jouer de nouveau au football avec les petits morveux qui m'avaient exclu de l'équipe du quartier qui n'était même pas une vraie équipe. Aucun joueur n'avait le bon short, le maillot et les chaussures à crampons. De plus, tous les enfants présents sur le terrain avaient le droit d'en faire partie. Bref, ce n'était pas une équipe mais un moulin. De loin, je les enviais quand même.

À mi-chemin de notre trajet, un ballet de gros camions bâchés, remplis de légionnaires français, est arrivé dans le sens inverse. J'avais le sentiment qu'ils nous dévisageaient. Mon cœur battait la chamade mais ma tante ne donnait pas l'impression de ralentir sa course, ni de se soucier du trafic. Essoufflé, je me suis arrêté. Ma tante a fait de même, pas contente du tout.

— Avance, nous n'allons pas rester au milieu du trottoir

J'ai eu la bonne idée de lui poser une question juste pour reprendre mon souffle. C'était toujours comme ça, je devais compter sur mon cerveau quand mes jambes me faisaient défaut.

— Pourquoi sont-ils chez nous ?

— Comment ça ?

— Mais pourquoi sont-ils arrivés chez nous ?

— Parce qu'ils sont nos colonisateurs.

— Nos co… ?

— Parce qu'ils sont plus forts que nous.

À la fin de ma deuxième année au collège, l'été 1978 s'est annoncé exceptionnellement doux. D'habitude en cette période de l'année, tout le monde se planquait dès que le vent brûlant du désert commençait à souffler sur nos maisonnettes au toit d'aluminium. Dès le mois de mai, le khamsin a lancé un assaut d'abord timide qui est monté rapidement en force. La canicule a posé son couvercle sur la ville. L'air est devenu vite étouffant. De grosses auréoles ont fait leur apparition sous les aisselles. Vite il fallait changer de chemise, prendre une douche. C'est ce que mon père faisait chaque midi avant d'enfourcher sa mobylette pour reprendre le boulot. Moi je ne changeais pas de chemise, Béa. Je ne portais que des T-shirts échancrés. Et voilà que les orages ont tambouriné sur les toits du quartier, contraignant la cheffesse de famille à quitter son poste de contrôle. Il n'y avait qu'elle pourtant qui pouvait me rassurer, mes parents ayant en tête d'autres occupations. Aux orages a succédé le cyclone qui a dévasté la ville. La faute à la mousson venue d'Inde, apprendrai-je plus tard. La jupe de Grand-Mère n'offrait pas la protection contre la pluie torrentielle. Le toit de la maison n'a pas résisté longtemps aux coups de vent qui ramenaient de la mer une odeur de poisson pourri. Des trombes d'eau ont déferlé dans les ruelles, emporté les poteaux d'électricité et les voitures. Ensuite, elles ont charrié des troncs d'arbre, des bouts de maisons arrachées à leur socle. L'oued d'Ambouli est sorti de son lit pour semer la désolation.

Je suis resté sans voix devant le spectacle de la mort. Des bœufs gonflés, des vaches sans sabots et des moutons sans queue rôtissaient au soleil. Mais ce n'était pas tout, Béa. Le cyclone a tué aussi les gens. Souvent on retrouvait leur cadavre soit dans la mangrove soit dans la mer. Tout s'y déversait. Les mères se lacéraient le visage parce que leur bambin n'était pas rentré à la maison depuis trois jours, puis se rassemblaient devant l'oued d'Ambouli ou sur les ruines de leur ancien quartier. Elles priaient de toutes leurs forces. Toutes redoutaient la même chose : se retrouver face au cadavre de leur progéniture charroyé par les eaux.

Fallait voir comment je priais avec elles. Tante Dayibo était fière de moi. Elle me disait que notre sainte mère Aïcha aimait les adolescents comme moi. Je savais que la prière n'allait pas changer le cours des choses mais la prière transformait les gens qui pouvaient, eux, changer les choses. Je ne me contentais pas de prier. J'avais un plan pour lutter contre le cyclone. Le plus tôt serait le mieux. Peut-être dès le mois prochain, inch Allah. Si les adultes me demandaient mon avis, je leur indiquerais le chemin à suivre. Il y avait bien une solution et je l'avais trouvée tout seul en prêtant attention aux histoires que grand-mère Cochise me racontait quand j'étais hier malmené par la fièvre. Tu la veux ma solution ? C'est assez simple, Béa. Pour éviter les dégâts sur la ville, il suffisait de recouvrir de bitume épais les toitures des immeubles et des maisons sans oublier les voitures et les troncs d'arbre. C'est ce que le vieux Nouh ou Noé a fait pour rendre l'Arche imperméable. Les eaux du Déluge ont glissé sur l'Arche sans mettre en danger la vie des animaux qui grouillaient dans le ventre de cette dernière. La pluie avait beau tomber à verse, les rivières quitter leur lit, les champs devenir des lacs et les lacs se transformer en mer, l'Arche grinçait, tanguait et roulait mais elle tenait bon. Sept semaines durant, elle a été mise à l'épreuve mais elle a tenu le coup. Au dernier jour de la septième semaine, un arc-en-ciel l'a accueillie. Noé avait accompli cet exploit, il y a plus de deux mille ans. Je proposais de renouveler l'exploit. Voilà ce que je leur suggérerais si les adultes voulaient bien me prêter attention !

Après quelques jours de panique, le déluge a pris fin. Les prières des habitants n'y étaient pour rien. La mousson, ça venait et puis ça repartait comme le sirocco en Sicile où nous passons nos vacances d'été. Tout finit par cesser. Figure-toi que juste après la fin du cyclone, mon moral était assez bas parce que Ladane était très occupée et que je n'avais plus grand-chose à lire. Ma vieille caisse de BD et de livres avait été emportée par les flots. Impossible de mettre la main sur un vieux magazine ou un *Paris Match* avec la photo de l'imam Khomeiny qui avait pris, l'année dernière, le trône du shah d'Iran. Les gens avaient d'autres besoins plus urgents. Pas d'eau, pas d'électricité. Pas d'égouts et pas de vivres. La famine nous menaçait. Chaque matin, je m'étonnais de me trouver vivant, ma jambe me faisait horriblement mal. Pas de médicaments pour me soulager. Il n'y avait que la douleur. Il y avait la colère. La jalousie. Le ressentiment. J'avais presque quatorze ans et j'étais solitaire. Les autres adolescents se tenaient à distance comme si j'étais un pestiféré.

Ma jambe m'a tenu loin des gamins de mon âge.

J'aurais voulu jouer au foot avec eux sur les terrains vagues.

Ma colère couvait en moi.

Elle ne s'exprimait pas ouvertement.

J'avais peur de prendre une beigne de la part d'un gamin ou d'un parent.

Je ricanais qu'on ait pu donner le titre de guérisseur aux incapables qui, comme le docteur Toussaint, avaient laissé leurs patients barboter dans une bassine bleue. Malgré leur blouse blanche, ils étaient incapables de les soigner. Incapables de mettre un mot sur la maladie qui rongeait leurs os. Ce docteur Toussaint était un bon à rien. Son titre était une insulte à la profession. Une insulte aux vrais Français de France. Ceux que j'ai côtoyés étaient bons et efficaces comme Madame Annick. Ce docteur ne pouvait pas être français. C'était un faux Français. Un imposteur, Béa ! Peut-être Belge comme Hergé.

Mes parents aussi étaient des bons à rien, pires que les autres adultes. Ils ont fait semblant d'ignorer ma douleur ravivée par le déluge, du moins c'est ce que je croyais. Pourtant, un jour, je suis tombé des nues. Jamais je n'oublierai ce jour où j'ai surpris mon père pleurant à chaudes larmes. Son chagrin n'avait rien à voir avec mes tourments à moi. Tous les adultes chialaient ce jour-là. Et nous leurs enfants, nous chialions aussi pour donner le change. Certains parents barbus et tout sanglotaient à se coincer la glotte, d'autres reniflaient bruyamment. Mon père était dans la moyenne car il aimait, lui aussi, le président égyptien Gamal Abdel Nasser qui avait donné son nom à notre avenue et qui venait de mourir. La nouvelle qui a mis tous les adultes le cul par terre, c'était justement la mort du général Nasser dont j'ignorais tout. Au collège, son nom n'a jamais été évoqué en cours d'histoire.

Pourtant dans le quartier on racontait que le général Nasser avait donné des armes et des vivres quand notre peuple en avait le plus grand besoin, quand les légionnaires français massacraient ou déportaient ceux qui ne voulaient plus de la France. Ces derniers voulaient libérer le TFAI. Oui, libérer le TFAI, c'est à dire chasser les Français à coups de fusils égyptiens. Ils étaient des indépendantistes, comme je l'ai appris plus tard. Les gaullistes qui dirigeaient le territoire les ont emprisonnés ou déportés en métropole. Le reste des militants exilé dans le pays voisin : la Somalie. Après les ravages du cyclone, voilà que Nasser était mort sans nous prévenir. Voilà pourquoi depuis vingt-quatre heures les adultes pleuraient en se donnant des coups de poing sur la poitrine pour exprimer leur impuissance et leur désespoir. Donc ce général Nasser avait été de notre côté. Sans son appui, les carottes auraient été cuites. Le TFAI allait-il rester le TFAI pour toujours ?

Le mal qui me rongeait avait un nom : la poliomyélite. Et une origine : le croche-pied de Johnny. Le même Johnny qui s'est attaqué au seul chien du quartier. Un chien qui hantait mes nuits. Quand Papa la Tige rentrait très tard, le cabot aboyait timidement. C'était un bâtard crasseux qui tentait de signaler sa présence par des petits jappements. Il se recouchait aussitôt sachant que personne ne faisait attention à lui. Il retombait dans sa léthargie de vieux chien, songeant à l'os qui l'attendrait demain dans la vieille boîte métallique lui tenant lieu d'écuelle après que le coq du quartier eut poussé son énervant cocorico. Je me suis toujours demandé pourquoi les yeux des clébards ont toujours soif. Tu leur mettais des jolies couleurs quand tu dessinais enfant des chiots bien proprets. Même si tu leur préférais les chevaux et les licornes. Pour tes six ans, tu nous as demandé pourquoi nous n'avions pas de chien ou de chat à la maison. Tu savais que Margherita avait eu, toute son enfance, un dalmatien. Puis ce qui devait arriver était arrivé. Les chiens ne survivent pas à leur maître ou à leur maîtresse. La mort de Maïa a plongé ta *mamma* dans le deuil et je pense qu'elle n'a pas voulu te voir vivre une expérience similaire. Point d'animaux domestiques dans le paysage de mon enfance. Sauf le vieux cabot crasseux. Comme tous ses congénères, il avait les yeux assoiffés. J'avais envie de lui donner à boire pour que ses yeux deviennent des yeux normaux qui peuvent certes pleurer mais qui restent normaux, c'est-à-dire pas toujours mouillés et entourés de mouches. Enfant, je voulais lui crier : « Eh, attention monsieur le chien ! Sinon les docteurs viendront te piquer. » Les docteurs des yeux te piquent même dans les yeux et si cela fait mal, ils s'en fichent. Ils te disent que c'est pour ton bien et tu dois rester assis bien droit sur ton arrière-train. Si tu bouges, l'aiguille peut faire des dégâts dans ton œil. Ton œil n'aura plus soif, il sera mort comme l'œil droit d'Askar le Fou qui ne sait pas lui-même quel jour cet œil est devenu tout blanc et inutile.

Les yeux assoiffés du vieux chien ont longtemps hanté mes nuits. Il se traînait sur son postérieur, les voisins ne remarquaient plus sa présence sauf la bande de terroristes emmenée par leur chef, Johnny le Mesquin. Johnny avait lancé une cabale contre l'animal. Il disait que nous devions nous comporter comme des bons musulmans et qu'aucun chien ne méritait de vivre parmi nous. La bande de terroristes montait jusqu'au quartier Rimbaud. En route, elle massacrait les chats errants, houspillait les mendiants réunis devant la mosquée Hadji Dideh. Elle semait la zizanie sur le trajet d'environ deux ou trois kilomètres. Puis elle descendait dans notre quartier du Château-d'Eau pour mitrailler de cailloux le pauvre vieux chien allongé devant la boutique de Hadja Khadîdja qui m'impressionnait parce qu'elle avait de longs doigts d'araignée. Le terroriste en chef disait qu'il avait vu un reportage à la télé montrant comment les musulmans à la Mecque gardent des pierres cachées sous leurs habits blancs. Comment ils se rendent dans un coin du désert, puis caillassent les lieux par où Satan serait passé. Une fois les lieux sataniques recouverts de pierres, ils repartent tourner en rond autour de la grande pierre noire. Ils se bousculent souvent et les plus vieux meurent étouffés. À l'époque, je me refusais à accepter la version de Johnny, mais il avait raison sur un point comme je l'ai appris beaucoup plus tard. Comment des gens venus chercher la paix du Seigneur peuvent se faire liquider par leurs voisins venus, eux aussi, chercher la paix du Seigneur ? Parfois je me dis que les adultes sont plus étranges les uns que les autres. Ce comportement m'était incompréhensible mais je le gardais pour moi. Je n'en parlais pas, Béa, car je risquais de prendre une grosse gifle qui me décollerait les oreilles. Je préférais me tenir à carreau. Je n'avais pas intérêt à rendre furibards les plus obtus de mes oncles. Faut dire que dans cette histoire de pèlerinage, il y a des détails qui attiraient mon attention. Le diable se niche dans les détails. Redisons-le, cette histoire me semblait totalement absurde. Les pèlerins s'arrangent pour ramasser la veille quarante-neuf pierres. Pas une de plus, pas une de moins. Quarante-neuf n'est pas un chiffre rond, pourtant j'ai appris en classe que les Arabes étaient les premiers musulmans et, surtout, qu'ils avaient inventé l'algèbre. Admettons que les pèlerins se débrouillent pour garder les quarante-neuf pierres cachées sous leurs habits blancs. Pourquoi attendre le lendemain pour descendre dans la plaine surchauffée par le soleil, puis jeter les quarante-neuf pierres, l'une après l'autre, sur les symboles du Satan ? On appelle ça la lapidation. Johnny et ses terroristes seraient alors d'excellents musulmans car ils ont lapidé le canidé devant tous les gens du quartier qui ont préféré détourner le regard par peur de représailles. Moi aussi, j'ai fait comme eux. Les terroristes me connaissaient bien pour m'avoir giflé plusieurs fois sous le préau. Et leur chef, Johnny le Salaud, m'avait fait un croche-pied le jour de la rentrée. Son geste, j'en portais la trace sur ma peau. Mon genou amoché, c'était lui. J'aurais pu y laisser une dent ou un œil si Madame Annick ou le directeur n'avait pas mis fin à la récré. Le mal qui me ronge les os et m'a rendu infirme, il se serait infiltré dans mon corps ce jour-là. Personne ne l'avait dit. Aucun diagnostic n'avait été établi à l'époque. D'abord parce nous n'avions pas accès aux soins et aux conditions d'hygiène les plus élémentaires comme tu as pu en avoir dès le jour de ta naissance dans cet hôpital du 12e arrondissement à Paris. Ensuite, la mort rôdait autour de nos têtes et mes parents estimaient qu'atteint par la polio ou pas, j'étais vivant. Personne n'avait fait le lien, ténu ou pas, entre la chute, le risque de tétanos, le vaccin protecteur et le virus de la poliomyélite. Mais je l'ai toujours su au fond de moi. Plus tard, quelques adultes ont évoqué cette hypothèse, souvent dans mon dos. Je l'ai toujours su et j'en ai voulu à mes parents. S'ils m'avaient administré avant ce matin fatidique le vaccin de la DTP, je n'en serais pas là.

DTP, encore trois lettres Béa.

D comme Diphtérie. T comme Tétanos. P comme Polio.

Ma vie a basculé ce jour-là.
D'abord le croche-pied.
Puis le vaccin ou plutôt l'absence de vaccin.
Et la jambe qui flétrit.
Tout s'est enchaîné très vite.
Je n'avais plus que mes yeux pour pleurer.
Je n'avais plus que ma rancœur à cultiver.

Depuis je n'ai pas su ou je n'ai pas pu courir. Courir à nouveau. Courir vraiment. Quand je partais à la recherche d'un vieux magazine comme *Paris Match*, *L'Express* ou une vieille BD, je prenais mes précautions. Je changeais d'itinéraire pour éviter de tomber sur des voyous. Comment attirer l'attention d'Amina, de Filsan ou de Samia qui, contrairement à Ladane, s'adonnaient au plaisir de la lecture ? Et comment attirer leur attention sans passer devant la porte de leur maison ni éviter le soupçon de leurs frères ? Je devais envoyer de petits cailloux contre la fenêtre de leur chambre. C'était un pari dangereux. Plus d'une fois, je me suis fait casser la gueule par un chenapan qui m'a pris pour un apprenti casseur de vitres. J'ai souvent eu de la chance en tombant sur un adulte qui m'a administré quelques coups de canne sur les fesses en guise de punition. Quand j'avouais aux frangins enragés que je ne convoitais pas leur sœur mais que j'étais à la recherche d'une nouvelle aventure de Mickey Mouse ou d'une revue sentimentale comme *Nous Deux*, personne n'avait l'air de me croire. Les brimades redoublaient. Je devais repartir en dansant sur une seule jambe. Figure-toi Béa qu'il m'est arrivé de tomber, plus d'une fois, sur le vieux chien sans nom. Je le reconnaissais à son pelage crasseux, à la grosse corde qu'il n'avait plus au cou mais qui traînait dans son petit coin, tout près de la boutique de Hadja Khadîdja. Quand je fixais des yeux cette grosse corde sale, tout le quartier me semblait sans vie. Un après-midi, je l'ai ramassée, le vieux chien m'a jeté un regard las. Il m'a reconnu et s'est abstenu d'aboyer. Cette corde symbolisait notre pacte. Peu importe d'où nous étions partis et comment nous nous étions retrouvés. Le vieux cabot crasseux et moi formions un couple. Un couple d'éclopés certes mais un couple quand même. Je crois que nous nous acceptions tels que nous étions. Nous nous réconfortions lorsque nous venions de subir les assauts de la bande de Johnny. Nous vivions au milieu de ce quartier bruyant où personne ne prêtait attention à nous. Pire, nous étions tenus à distance comme des lépreux. Je suis sûr à présent que ma naissance n'avait pas porté bonheur à ma famille. À peine ai-je vu le jour que mon père a frôlé la faillite et que ma mère a commencé à montrer des signes d'agitation. La perte prématurée de ma petite sœur a alourdi le tableau. Tu sais, Béa, que mes pleurs mettaient ma mère dans un tel état de panique qu'elle était prête à me jeter à la poubelle. J'ai aussi appris, des années plus tard, que mon père avait reçu la nouvelle de ma naissance en même temps que celle de la disparition d'un gros client qui lui devait beaucoup d'argent. L'homme avait quitté le TFAI pour une destination inconnue. Mon paternel avait échappé d'un cheveu à la prison ferme pour trafic et malversations. Est-ce pour combler ce gros trou que mon père travaillait davantage et rentrait de plus en plus tard ? Je guettais le ronronnement de sa Solex toutes les nuits, c'était ma musique de chambre à moi. Je pleurais pour me tenir éveillé et quand il arrivait enfin, j'étais si essoufflé que j'étais incapable de mettre fin à mes pleurnicheries.

Le reste n'était pas ma faute, les disputes et les rancœurs ne regardaient que les adultes. Papa et maman n'avaient qu'à se parler entre quatre yeux pour se dire les choses qu'ils avaient à se reprocher. On se dispute ta mère et moi, mais ce n'est jamais trop grave, voilà ce qu'ils auraient pu me dire. Dans ma caboche d'enfant, ce n'était pas aussi simple. Je n'avais jamais su les vraies raisons de la mésentente entre mes parents. Il devait y avoir un profond malaise dès le départ.

Le vieux chien était loin d'avoir dit son dernier mot. Et moi, je commençais à mettre des mots sur mes émotions. Je parvenais à nommer clairement les choses, celles qui m'ont souvent fait défaut, celles qui étaient douces, apaisantes.

La chaleur du ventre maternel.

Le sein de Maman.

La bouillie du soir quand j'étais encore dans ses bras avant qu'elle ne prenne cette habitude de me passer à une autre femme comme si j'étais un colis encombrant.

La colère et l'impatience montant dans ma poitrine lorsque je n'arrivais plus à arrêter de pleurer.

Pourquoi tu danses quand tu marches ?

Les bruits pétaradants du cyclomoteur de mon père qui entraient dans la maison au milieu de la nuit.

L'odeur de la terre mouillée après la première pluie.

Grand-mère Cochise se levant aux aurores, en même temps que le coq et Ladane.

Depuis que j'ai contracté le virus de la polio, je n'ai jamais pu courir à nouveau. Pourtant j'avais des rêves plein la caboche. Je me voyais bien cowboy à l'âge de sept ans, footballeur à douze, marin à dix-huit. Dessinateur des bandes dessinées à vingt-deux. Et peut-être que je serais redevenu cowboy à trente-cinq, après avoir poursuivi des cours d'équitation dans les meilleurs haras. Bref, c'était le bordel dans ma tête, Béa, et j'étais le seul à le savoir. Maman Zahra et Papa la Tige n'étaient pas les meilleurs amis du monde comme tu le sais. Zahra respirait mieux quand Papa la Tige n'était pas à proximité. Papa s'étourdissait dans le travail et rentrait tard. Ce n'était pas tout. Les vieux ne se parlaient pas souvent, sauf quand ils ne pouvaient pas faire autrement. Quand je pleurais sans raison et qu'il fallait que je la boucle. Sans raison ? C'est ce qu'ils disaient. Ils n'étaient pas à ma place. S'ils avaient été à ma place, ils auraient pleuré autant que moi sinon plus. Les gens disent à tout bout de champ : « Mets-toi à ma place. » Ils le disent seulement avec les lèvres. Mais rarement avec le cœur. Comment je le sais, Béa ? Eh bien personne ne m'a proposé de prendre ma place et de me prêter la sienne. Personne. Il devait bien y avoir une raison. Ils devaient être bien dans leurs bottes. Ma place ne devait pas leur faire vraiment envie. Voilà ce que j'ai pensé et ce que je pense encore parfois aujourd'hui. Quand je les entendais dire « comprends-moi, mets-toi à ma place ». Je ne me retournais plus. Je continuais ma route. Je ne me laissais pas distraire par ces paroles jetées en l'air. Pour moi, les mots devaient garder toute leur signification. Sur la balance, leur sens devait peser lourd sinon on irait tous droit dans le mur. Un jour, Moussa deux œils ou un autre crierait « Au feu, au feu ! », personne ne bougerait le petit doigt. Et le pauvre Moussa deux œils y laisserait la vie faute de renfort. C'est important les mots. Aussi important que l'eau, la nourriture ou l'air que tu respires, Béa. Notre vie en dépend.

Aujourd'hui encore, les mots sont des jouets merveilleux. Les noms de certaines personnes, de certaines plantes, de certains lieux ou certains animaux nous font voyager. Certains mots te mettent en fureur, d'autres en joie. Tu adores le mot « ceviche » depuis que tu as goûté cette recette péruvienne. Le poisson cru, le jus de citron et les épices ne semblent pas agresser ton palais d'adolescente. Bien sûr que je ne connaissais pas le ceviche à ton âge. D'autres mots mettaient en alerte mes papilles. J'avais l'impression de quitter mon petit corps pour rejoindre la caverne d'Ali Baba. Cowboy, footballeur, marin, pilote ou dessinateur, mes rêves n'étaient pas si fous que ça. Ils n'étaient pas vains non plus. Au contraire, ils donnaient un sens à ma vie. Un temps, j'imaginais que je serais un esprit scientifique infaillible qui ne s'appuierait que sur des mots sans mensonges, sur des calculs ou graphiques qui ont fait leurs preuves. Je serai entomologiste, me lançais-je comme un défi. Ce mot m'a séduit tout de suite. C'est comme ça qu'on appelle celui qui ramasse les noms et les photos des insectes. Dans son grand cahier, l'entomologiste marque sous chaque photo le nom de l'insecte. S'il est riche, il peut recevoir par la poste des insectes envoyés des quatre coins du monde.

Alors il peut construire un casier et placer le bijou au milieu. Le bijou, pour l'entomologiste, c'est l'insecte dans son écrin. Il nous faut prendre soin des mots comme l'entomologiste prend soin de ses insectes épinglés collés dans un grand cahier appelé « herbier ».

Dans mon quartier, il n'y avait ni herbier ni cadre bien ordonné. Dans mon cercle familial non plus. Ma mère voulait un bel enfant, vigoureux et sain, peu importe le sexe. Papa la Tige voulait un garçon formidable pour ouvrir le bal de la lignée. Je n'ai assouvi ni le désir de l'un, ni le vœu de l'autre. J'étais une énigme, pas l'aîné bien portant voué à un avenir prometteur dont ils rêvaient tant.

Les sept premières années de ma vie, ils ont prié tous les soirs pour hâter l'arrivée d'un petit frère qui vengerait leur sang bafoué. Le quartier tout entier redoublait de prières. Je n'avais que faire de leur dévotion intéressée. Je rêvais d'une petite boîte d'allumettes que je rangerais sous le tas de mes jouets imaginaires. Elle se nicherait entre le camion de pompiers rouge et la flûte de Peter Pan. Un jour elle s'exprimerait ouvertement, je veux dire qu'elle flamberait. Elle illuminerait le ciel de mon quartier. Les gentils parents n'auraient plus qu'à prendre leurs jambes à leur cou. J'adorais tant cette expression que j'essayais de la ressortir le plus souvent, la remettre au goût du jour.

Si mes parents priaient en cachette pour la venue d'un nouvel enfant, ma tante Dayibo priait ouvertement pour avoir un ventre arrondi. Et par imitation ou contamination, je commençais à penser souvent à Nabi Issa appelé aussi le Christ. Les carnets de mon grand-oncle Aden m'avaient instruit au sujet du Nazaréen. Jésus a été le premier à inquiéter les adultes, et plus généralement les bien portants. Jésus a été humilié par tous ces gens qui se croyaient importants à cause de leurs biens ou de leur progéniture. Il est allé, lui, jusqu'au bout de sa quête même si personne ne voulait le suivre. Dès ses premiers pas, les proches de Jésus de Nazareth ont pris peur. Ils lui ont demandé de mettre un terme définitif aux paroles déroutantes, aux sermons et aux paraboles qu'il semait à tout bout de champ. Jésus a continué sa mission. Plus il prêchait, plus il inquiétait tout son entourage. Ses amis lui ont tourné le dos.

Tu nous as déçus. Nous pensions qu'un messie nous viendrait, pas un charlatan !

Il leur a souri, Béa, de son sourire énigmatique. Et il a continué à tracer sa route. Seul contre tous. Et ils l'ont compris plus tard, ses amis. Une fois qu'il n'était plus là parmi eux. Ils l'ont cherché partout. Sur la terre ferme, dans les cours d'eau et dans les grottes noires de silence. Et il est apparu là où ils l'attendaient le moins. Et il a renouvelé cette expérience chaque fois que c'a été nécessaire. Quand je prête attention à mon entourage, je comprends un peu le fond des choses et des êtres. Les gens de mon quartier se seraient comportés exactement de la même manière que les Pharisiens. Observer les choses et les gens, voilà la clef ! Quand j'y parvenais, de petits miracles se présentaient à moi. Un jour, je jouais avec ma boîte d'allumettes. Je triturais les tiges de bois si fines, leurs têtes bleu nuit. D'un coup, je me suis rendu compte que cette boîte d'allumettes recelait une sorte de magie. Par friction, une flamme rouge et jaune a jailli, puis avalé la petite tige de bois en quelques secondes. Le bois s'est donné au feu sans hésiter, passant le relais à la mèche de la lampe et à la cire de la bougie. La mèche a enfanté lumière et chaleur. La cire s'est consumée pour nous tous. Jésus, aussi, s'est donné sans compter. Ses proches ne l'ont compris que bien tard. Ils se sont maudits de n'avoir pas cherché à boire ses paroles, à comprendre ses fables et ses miracles lorsqu'il a multiplié les pains ou encore l'épisode où il n'a pas voulu renvoyer la foule venue le réclamer. Bien sûr qu'elle avait faim et qu'elle avait soif, cette foule. Bien sûr que cinq pains et deux poissons n'allaient pas rassasier une si grande multitude. Pourtant Jésus a résolu le problème. Les gens ont bu et mangé comme jamais auparavant. Ils ont bu et mangé à leur faim grâce à Jésus. Ils ont appelé cela un miracle. Plus de deux mille ans plus tard, ils continuent de parler de miracle. Mais Jésus n'a rien dit. Il a continué sa route. Partout, il a semé l'espoir et la joie.

La joie nue.

La joie vive.

Adolescent, j'attendais le petit miracle qui allait venir à ma rencontre.

Je l'attends aujourd'hui encore.

À ta façon, tu l'attends aussi, Béa.

Il viendra.

Je le sais, c'est tout.

Quelque chose avait commencé à changer dans mon regard. Ce n'était pas un miracle survenu tout seul. Ce changement, Béa, je l'ai obtenu après mille efforts. Avec le concours de Ladane, je me suis entraîné à aiguiser mon attention, à me projeter dans l'avenir. Quelque chose a changé dans mes gestes aussi. Pour moi, c'était évident. J'ignore si cela se voyait pour les autres. J'éprouvais de moins en moins le désir de courir après ma mère, d'attendre fiévreusement le retour de mon père. Seule ma grand-mère était fidèle au poste. Si quelque chose me taraudait, elle m'accueillait en silence. Et quand ma bonne étoile pointait le bout de son nez, elle me racontait une histoire. Un soir que j'étais fatigué de m'abîmer les yeux en relisant dans la pénombre une vieille BD, elle m'a fait un beau cadeau. Et j'ai eu droit à l'une des plus belles histoires qui soient, Béa.

Depuis la nuit des temps, les hommes ont brodé de nombreuses légendes autour des trois étoiles parfaitement alignées qui forment la ceinture d'Orion. Elles sont d'un bleu saphir. Ce trio constitue un point de repère pour les nomades africains, et aujourd'hui, poursuit grand-mère Cochise, certaines tribus confectionnent des perles de récits pour les passer au cou d'Orion. Il en est une qui ne manque pas de charme. C'est l'histoire d'un petit berger tombé amoureux de ces étoiles. Il a démarré dans la vie exactement comme ses ancêtres qui n'étaient pas si différents des nôtres, sauf qu'à l'époque les troupeaux de girafes, de rhinocéros et d'éléphants étaient si nombreux qu'ils attaquaient les campements. De plus, notre berger n'était pas un bon berger et n'avait rien retenu de l'enseignement de ses parents. Il n'était pas doué pour la course à pied, si essentielle pour ramener la brebis ou l'agneau égaré. Piètre marcheur, il était facilement distrait par les incidents rencontrés en cours de route. Un oued qui quitte son lit, un bivouac qui s'attarde ou une querelle autour d'un puits, il ne fallait pas grand-chose pour le détourner de son travail. Les autres bergers ne se gênaient pas pour le traiter de femmelette. Un jour il a rencontré un homme qui revenait de la ville, il avait quelque chose de particulier qui le distinguait de tous les autres troubadours rencontrés sur les pistes caillouteuses. Cet homme-là avait dans la poche gauche de sa longue chemise une petite boîte métallique protégée par un étui de plastique noir. Elle lui tenait compagnie et il semblait la chérir comme la meilleure des brebis ou comme un être semblable à nous les hommes. Des jours et des semaines durant, le jeune berger n'a cessé de tourner autour du troubadour comme une hyène affamée autour de sa victime. Touché par sa persévérance, l'étranger finit par lâcher que la précieuse boîte contenait ce qu'il appelait « la longue vue » et qu'il lui était arrivé de se relier à la voûte céleste par la seule magie de cet instrument d'optique ou, plus précisément, de ses lunettes polies.

Il ajouta avec certitude que le monde qu'il découvrait grâce à la longue-vue était le sien et qu'il était le seul à le connaître et à le fréquenter sans passer par qui que ce soit. Le petit berger devint l'ami de l'homme à la longue-vue.

Et à force de deviser avec lui de tout et de rien, il devint aussi l'ami de l'instrument optique. Il lui arrivait de le poser, à son tour, sur son œil droit. Puis sur son œil gauche. La longue-vue était légère, cela le surprit beaucoup. Elle n'avait donc pas grand-chose dans son ventre. Mais loin de diminuer son attrait, sa légèreté la rendait plus désirable. Elle était d'un entretien facile, un nourrisson s'en occuperait correctement. La nuit, sous la voûte céleste aux mille étoiles, rien n'est plus exaltant, plus dépaysant que cet univers qui semblait contenir tous les autres : terres, continents et océans. Après cette découverte, il a perdu, au grand désespoir de sa famille, surtout de sa mère, le goût de cavaler derrière les moutons et les chèvres. Déterminé à gagner vite sa vie pour rassurer ses nomades de parents, le petit berger a pris le chemin de la ville. Il avait ruminé sa décision tel un vieux chameau qui n'a plus rien à craindre du regard d'autrui. Il n'ignorait cependant pas que la tâche ne serait pas facile pour lui, surtout au début. Mais il avait suffisamment confiance en sa bonne étoile. Et la longue-vue le lui a confirmé. Une nuit, elle lui a susurré qu'il devrait partir en ville et qu'il y accomplirait sans doute de fort belles choses.

Le voici à Djibouti.

Grand-mère Cochise me passe le trajet, la pause de quelques semaines à Ali-Sabieh et les tourments de milliers de jeunes broussards échoués en ville avant lui.

Comme eux, il a appris à étendre son bout de carton pour dormir, la nuit, devant les hangars dans la zone portuaire. Le jour, ils trimbalaient sur le dos les sacs de marchandises. Ils faisaient leur toilette ou tous leurs besoins dans la mer. Ils étaient si proches de l'élément maritime qu'ils avaient fini par oublier leur vie d'avant, le troupeau et la transhumance. Certains ne mangeaient plus que de la chair de poisson que leurs parents vomiraient sur-le-champ. Grand-mère Cochise m'assurait que le berger amoureux des étoiles devint un grand marin et qu'il fit fortune dans les perles. D'autres eurent moins de chance. En Éthiopie, il n'était pas rare qu'on enlève les petits bergers qui, châtrés, servaient comme eunuques à la cour du monarque. Si notre petit berger avait échappé à ce sinistre sort c'est parce qu'il savait lever la tête au ciel et rêver grand.

Grand-mère Cochise m'a toujours raconté des histoires pour me distraire mais également pour m'inculquer les bons réflexes à adopter dans la vie. Elle a fait mouche ! Les histoires ont eu pour effet de fissurer ma coquille. J'aurais tant aimé que Maman en fît autant mais c'était trop lui demander. Si ma mère ne disposait pas des ressources émotionnelles pour faire correctement son boulot de maman, c'est qu'elle n'avait peut-être pas eu l'attention de sa mère à elle. J'imagine que ma mère s'est retrouvée seule dans sa chambre à la maternité avec son premier enfant, moi, dans ses bras décharnés. Elle s'est rendu compte qu'elle avait la responsabilité pleine et entière d'un être humain ! N'ayant pas reçu très tôt, de sa mère même, l'amour maternel, ma mère n'avait pas appris à nourrir un bébé si maigrichon. Est-ce qu'elle aurait des seins assez volumineux pour rassasier l'affamé qui venait de quitter son ventre ? Je suppose que ma mère a enfin vu qu'elle avait un être humain à ses côtés. Elle a été prise de peur panique. Elle a enfoui sa tête dans le sable. Est-ce que l'instinct maternel s'acquiert en héritage ou est-ce qu'il est inné comme semblent le croire certains adultes pour se rassurer ? Moi, je n'en savais rien. J'étais juste une bouche à nourrir, un petit être en quête de caresses et de baisers. Nous t'avons donné cet amour primordial. Dans toutes les régions du monde, un bébé normalement désiré et enfanté a droit aux bains chauds et aux massages donnés par la mère. Ces soins sont parfois relayés par les tantes quand la mère n'a pas encore repris des forces après un accouchement difficile ou périlleux pour elle ou pour l'enfant. Une chose est sûre, grand-mère Cochise a hérité de sa mère un bon instinct maternel. Elle devait connaître l'arbre sous lequel son placenta a été enterré une demi-heure après sa naissance. Elle avait dû l'arroser jusqu'à ses sept ans comme le voulait la tradition. Ma mère non. Cela change tout, tu ne crois pas, Béa ?

À l'automne de l'année 1981, ma mère avait accouché d'une petite sœur, Fathia, qui lui a redonné le sourire. Ossobleh grandissait et moi je venais de faire mon entrée dans un nouveau collège flambant neuf. J'avais mûri au cours des trois mois de vacances scolaires. Le cyclone avait certes ravagé mon quartier mais il nous avait rendus plus forts et plus solidaires. Chaque fois que j'essayais de la suivre, Ladane hâtait le pas, ne laissant derrière elle qu'un nuage de poussière. Son petit jeu ne m'amusait plus. J'ai appris, Béa, à deviner ce qui se cachait derrière les silences de ma grand-mère. À démêler les fils du temps suspendu entre les rives de l'actuel et de l'autrefois. À distinguer ce que j'observais dans mon entourage et ce que je découvrais dans un livre. Poussé par ma curiosité et enflammé par les récits de Cochise, j'ai réussi à franchir le pont fragile qui passait du monde à celui que l'on dit invisible.

Pour faire plaisir à ma professeure de français en 4e, Mme Ellul, j'ai énormément lu pendant et après la classe. J'arrivais en classe avec, pour munitions, de multiples crayons bien taillés. Mme Ellul a bien compris mon état d'esprit. Elle appréciait les rédactions que je composais en m'inspirant soit de personnages imaginaires comme Quasimodo le bossu, soit de figures historiques comme Cléopâtre dont la forme du nez a changé la face du monde. Au fil des semaines, ma plume est devenue alerte. Elle pouvait s'attaquer désormais aux sujets de société. Elle quittait le littoral familier pour aborder les rivages du monde. Je commençais à noircir des pages sur les congés payés, sur la Gestapo, sur la neige dans les Pyrénées ou sur Cannes et la Côte d'Azur. La plupart de mes camarades trouvaient mes choix de sujets exotiques. Ils bâclaient leur rédaction. Pas moi. Je m'appliquais à mettre en pratique les conseils que la professeure nous avait prodigués et que tous les autres semblaient avoir oubliés. Les conseils de ma professeure me sont toujours d'une grande utilité. Ils te seront utiles un jour, j'en suis certain, Béa. Pour toi, allez, je n'en dévoile que trois :

Respecter la ponctuation et les règles grammaticales.

Alterner les phrases courtes et les phrases longues pour créer du rythme.

Utiliser vos connaissances et, en cas de panne, faire appel à votre imagination.

Au début de l'année scolaire, Mme Ellul nous a fait copier ses règles, souligner en vert et encadrer les trois précieuses phrases. La première fois que j'avais réussi à glisser un paragraphe de « La petite chèvre de M. Seguin » dans ma rédaction, Mme Ellul m'a invité dans la classe de 5e afin que j'engage un dialogue avec ses élèves. J'étais tellement fier de ma prouesse devant ces gosses dont certains me houspillaient dehors. J'entendais encore les mots flatteurs de la professeure. Dans ma rédaction, la chèvre de M. Seguin était une chèvre broutant les cartons et les fils de plastique de notre quartier mais elle restait aussi espiègle et coquine que sa lointaine ancêtre. Émue, Mme Ellul a cité, les yeux étincelants, tout le paragraphe inspiré par M. Alphonse Daudet dont j'avais déniché les œuvres au Centre culturel français Arthur-Rimbaud (CCFAR) :

… Ah ! qu'elle était jolie la petite chèvre de M. Seguin.

Qu'elle était jolie avec ses yeux de gazelle, sa barbiche de bouc assoupi, ses sabots noirs et luisants, ses cornes pointues et ses longs poils hirsutes qui lui donnaient une apparence diabolique !

Et puis docile, rieuse et charmante, se laissant traire sans bouger, sans mettre son sabot dans l'écuelle…

Elle a trouvé que ma conclusion en forme de chute était pertinente. Elle était en accord avec le reste de rédaction qui s'intitulait : Un amour de petite chèvre…

Ma réputation a dépassé le périmètre du collège de Boulaos. Mes rédactions scolaires occupant une large partie de mon temps, j'ai délaissé les lettres administratives que j'écrivais pour faciliter la vie à mes parents. Les voisins du quartier n'avaient pas tardé pas à comprendre que j'étais une sorte d'écrivain public. Je devais rédiger un jour une lettre de réclamation pour une tante, trousser le lendemain une missive enflammée pour un copain voulant s'attirer les faveurs de la sœur d'un de mes camarades de classe qui était passé sans heurt de l'école du Château-d'Eau au collège de Boulaos comme moi.

Finies les lettres, à moi l'imagination.

L'attention que Mme Ellul me portait m'a donné un grand coup de fouet. La lecture à haute voix qu'elle a faite, l'émotion dans sa voix et la pointe de feu dans ses yeux d'un noisette étincelant m'ont propulsé dans un autre univers. Du jour au lendemain, je suis devenu une célébrité dans tout l'établissement.

De nombreux garçons recherchaient désormais ma compagnie et certaines filles me scrutaient d'une manière qui m'attendrissait. Dans le quartier aussi, ma réputation était précédée d'une flatteuse rumeur. Dopée à la légende, elle montait comme la pâte à pain que malaxait de ses doigts maigrichons Hachim le boulanger. On racontait que je savais redonner vie à tous les personnages illustres. Que l'empereur Hailé Sélassié et la reine de Saba me devaient une partie de leur éclat. Que je saurais embaumer les gisants du cimetière d'Ambouli dans une langue française douce et soyeuse.

Mon succès avait ses revers. Des caïds ont décidé de recourir à mes services. Ils me faisaient parvenir, un jour ou deux à l'avance, le sujet de la rédaction qui leur avait donné des cauchemars. C'était à moi de leur ôter cette épine du pied. En échange, ils me promettaient de veiller sur ma sécurité cette année scolaire et la suivante. Leur sollicitude me flattait même si parfois je devais me creuser les méninges pour remplir leur feuille à carreaux et double interligne. Ils étaient peu regardants sur le contenu. Satisfaits dès lors que leur feuille double était recouverte de ma graphie entortillée. Je soupçonnais, Béa, les caïds d'être sensibles à la longueur des mots. Dès que je me suis aperçu de leur penchant pour les termes longs et ronflants, j'ai établi une liste d'adverbes plus étirés les uns que les autres. Glisser un *obstinément* ou un *malencontreusement* dès l'introduction me remplissait de joie et confirmait mon statut de champion ès lettres.

À forcer de pisser la copie pour les petits caïds, il m'est arrivé de connaître des passages à vide. De gamberger dans les sables mouvants sans trouver de remède à ma panne d'inspiration. De tourner en rond plusieurs jours. Tu sais quoi, Béa ? Encore une fois la solution est venue toute seule, un détail ayant attiré mon attention alors que je feuilletais un livre que je n'avais jamais ouvert. Un livre mince qui avait pu échapper à ma soif de lecture ou un gros à reliure qui avait pu dormir tranquille sur une étagère du CCFAR. Le détail surgissait le plus souvent au milieu d'une nouvelle histoire. D'autres fois, un héros des bandes dessinées que j'affectionnais particulièrement (tiens, un long adverbe !) est venu à ma rescousse. Il m'a évité l'embarras et la colère du caïd qui, lui aussi, tenait à sa réputation. Avant Astérix, Lucky Luke, Tintin et Achille Talon, j'ai fréquenté d'autres héros mémorables. Des durs à cuire comme Blek le Roc, Rahan ou Tarzan. Il m'est arrivé de m'inspirer d'un épisode piqué dans tel ou tel album pour étoffer la prose destinée à un caïd. Ma méthode s'est affinée avec le temps. Je brodais un récit, suivais le fil de mon imagination et enfin je mettais un soin particulier à la dernière partie. Ma conclusion ? Un petit conte moral découlant du sujet, et bingo !

Comme un chef cuisinier, j'ai accommodé le même récit d'invention à diverses sauces. J'ai servi le même plat réarrangé à divers caïds. Les deux dernières années de collège, j'ai refourgué des dizaines de rédaction à cinq caïds à un rythme régulier sans compter les malheureux qui débarquaient tard chez moi pour me prendre par les sentiments. Ils pleuraient sur la tête de leur mère en jurant qu'ils avaient sur les bras une rédac à rendre le lendemain tôt et qu'ils avaient bossé dessus pendant des jours et des nuits sans trouver la moindre idée, ni coucher sur le papier la première phrase. Ces malheureux me répétaient que j'avais de la chance, moi. Que les idées m'accostaient sans difficultés, que les phrases coulaient de mes doigts sans efforts. Je n'avais qu'à leur consacrer cinq petites minutes, et par la grâce du Seigneur, la copie se remplirait toute seule. Je les envoyais paître. S'ils continuaient à m'enquiquiner, je n'avais qu'une chose à faire : donner leur nom à un caïd.

Un jour, j'ai provoqué un incident scandaleux selon les mots du professeur qui a lu et annoté une copie dont j'étais l'auteur. Je l'avais écrite pour un redoutable caïd aux lèvres crispées. Le bougre était connu pour ses colères et ses TOC. Trois lettres faciles à retenir. Troubles obsessionnels compulsifs.

Le sujet de la rédac portait sur le danger de la prostitution qui touchait notre ville mais plus particulièrement certains anciens élèves attirés par la belle vie et l'argent facile. Au lieu d'adopter un ton dur et réprobateur, la copie du caïd tombait dans la complaisance. De là à soupçonner que le caïd avait voulu célébrer le vice, il n'y avait qu'un pas que le professeur a presque franchi. Il a lu, avec un air de dégoût, le passage qui incriminait le suspect :

Pourquoi tu danses quand tu marches ?

Ah qu'elles sont jolies les filles de mon pays
Laï laï laï laï laï laï
Oui qu'elles sont jolies les filles de mon pays
Laï laï laï laï laï laï
Dans leurs yeux brille le soleil
Des soirs d'été.

Quand l'incident est parvenu aux oreilles du principal, il s'est trouvé deux ou trois professeurs pour plaider l'ironie que le caïd goûtait fort peu. Il se peut que Mme Ellul ait reconnu mon coup de patte, puisqu'elle a plaidé ma cause et rafraîchi la mémoire au professeur obtus. Elle lui a expliqué que la chanson d'Enrico Macias concernait l'Algérie française. Le caïd a été blanchi sur-le-champ. Il est venu jusque chez moi pour m'informer du verdict. Une foule de gamins l'accompagnaient. J'ai goûté cette victoire avec retenue. J'ai jubilé, Béa, mais sans le montrer. Le caïd m'a serré la main. Notre échange a duré une éternité. Il m'a expliqué qu'il avait été très fâché parce qu'on l'avait traîné dans la boue mais qu'il était aussi très fier d'avoir été blanchi par un jury composé de Français de France. Il m'a redit que je n'avais aucun souci à me faire pour ma protection. Ma réputation était installée. Je n'avais plus rien à démontrer. Après l'incident, j'ai pissé moins de rédactions. Je me suis consacré à mes exercices d'invention. À la fin de l'année scolaire, j'ai eu mon brevet avec mention très bien et réussi également le passage en seconde. Quatre des caïds ont obtenu le brevet avec la mention passable mais pas le passage en classe supérieure. Faute de brevet, le cinquième a rejoint l'armée qui recrutait beaucoup de jeunes pour remédier au départ des coopérants français. À l'époque, il n'y avait qu'un seul lycée, Béa. Y entrer changeait ta vie. Une fois parvenu au lycée, tu avais la sensation d'accéder à un club très sélect. Après le lycée, tu faisais partie de l'élite du pays. Tu pouvais choisir de rester pour servir dans l'administration ou partir en France pour te frotter à l'université.

En attendant mon passage au lycée, j'ai continué à lire et à écrire des petits poèmes comiques. Juste pour m'amuser ou me consoler. J'occupais un bout de l'unique table de la maison. Accaparée par le nourrisson, ma mère ne freinait plus mon penchant pour la lecture et l'écriture. Elle ne s'inquiétait plus pour mes yeux. Ladane continuait de soulever de petits nuages de poussière dans son sillage. Pour la première fois de ma vie, je me sentais à l'étroit dans les ruelles de mon quartier, cet espace confiné où mes préoccupations tournaient en rond. Je passais mes weekends au CCFAR qui se trouvait à trois kilomètres de mon impasse. Et pour une fois, j'avalais les distances. Si j'avais une patte folle comme ils disaient, je n'avais pas les ailes brisées. Et encore moins le cerveau rouillé. J'avais entamé une relation épistolaire avec des personnages du passé. Si j'étais aujourd'hui dans la même situation, j'aurais écrit à Barack Obama et au pape François. J'aurais aussi envoyé une belle lettre à ta maman Margherita qui devait faire ses premiers pas à l'école primaire à Milan, sa ville natale.

Me voilà parmi l'élite. Lycéen donc. J'aurais pu, après deux ou trois années et même sans obtenir le bac, passer le concours d'entrée dans l'administration de la Poste ou des Douanes. J'aurais pu venir en aide à ma famille. Papa la Tige me voyait instituteur. Le salaire était correct, et puis il y avait les trois mois de vacances au cours desquels j'aurais pu troquer la canicule de Djibouti contre le grand air d'Addis Abeba, capitale de l'Éthiopie voisine. Il m'avait cité le cas d'un cousin qui, en quelques années, était passé d'instituteur à directeur d'école, puis avait construit une maison en dur pour ses vieux parents. J'en avais pris note ce jour-là, puis j'étais vite passé à un autre sujet de conversation.

Mon père n'avait pas insisté, ce n'était pas son genre de répéter les choses. Il gardait ses pensées pour lui. Je le soupçonnais de bouder en silence. À vrai dire, il avait d'autres soucis sur le cœur. Il vieillissait. Il attirait les maladies comme l'aimant la ferraille. Diabète, hypertension, céphalées, sans compter les dégâts que la tuberculose avait infligés à ses bronches. Il ne se plaignait pas pour autant, ne s'attardait pas sur son état de santé mais s'inquiétait pour sa mère grabataire. Chaque semaine, il se rendait à la grande prière du vendredi par devoir et sans entrain.

Papa la Tige donnait l'impression de se mouvoir parmi les ombres, d'ignorer les tracas du quotidien. Ma mère Zahra carburait, elle, aux tourments et à l'inquiétude permanente alors qu'elle allaitait une troisième petite sœur prénommée Safia. Quand le vieux redescendait sur terre, il ironisait sur son caractère à elle pour mieux mettre à distance ses propres craintes. Discret, voire secret, il n'était pas du genre à déballer ses sentiments. Il restait digne devant ses cinq enfants. Bien des années plus tard, comme je n'avais pas réussi à chevaucher sa vieille Solex qu'Ossobleh conduisait d'une main, il m'a donné cette petite leçon de vie :

« Ne t'inquiète pas, même pour la bécane on finit par acquérir des automatismes. »

À défaut d'automatismes j'ai acquis de l'assurance. À peine arrivé au lycée d'État, j'ai trouvé de solides alliés parmi les enseignants. Ma première dissertation a impressionné le corps professoral comme je l'ai su plus tard. Mme Lequellec, ma professeure de lettres en seconde, qui connaissait bien Mme Ellul, m'a invité à rejoindre le Club de lecture du lycée. Cénacle fréquenté par une foule de lycéennes dont un certain nombre de Françaises et autres Européennes, le Club de lecture m'a impressionné dès le premier jour. Nous passions le lundi et le mercredi après-midi à lire et relire, en petits groupes de deux ou trois, les récits fantastiques de Maupassant et d'Edgar Allen Poe. À déclamer les poèmes de Baudelaire le dandy. À nous aventurer dans les labyrinthes des *Mille et Une Nuits* ou à rédiger des notes de lecture. Par la suite, je me suis rendu compte que je pouvais m'entretenir avec ces lectrices sophistiquées sans bafouiller. Deux semaines plus tard, j'ai fait la connaissance de l'équipe du journal du lycée. En guise d'accueil, *Pages & Plumes* a publié mon premier article qui était une lettre imaginaire adressée à Anne Frank.

Chère Anne Frank,

Tu étais plongée dans le noir. Tu avais, je le sais, faim et soif. Tout alentour, le silence, le silence, le silence. Au loin, un petit bruit perceptible par moments. Celui du vent soufflant timidement. Tu attendais que la griffe de la peur s'estompe ou s'éclipse devant l'emprise grandissante de la faim.

J'ai reçu ton dernier message. Il m'est parvenu sans difficultés. Je vais te répondre sans plus attendre. La chair, à force d'être acculée, finit par mordre. Il y a des jours où le muet finit par parler sous la torture.

Chère Anne, tu ne dois plus être de ce monde mais je vais continuer à t'écrire car ton absence n'est pas une raison suffisante pour ne plus converser avec toi.

Et ce serait indélicatesse de ma part.

Je me refuse à m'abandonner à ce sentiment qui ne fait pas partie de mon langage. De plus, tu restes présente dans mon cœur et comment l'oublier.

On m'a dit, Anne, qu'un petit musée vient d'acquérir ton œuvre la plus achevée. Elle porte tes empreintes labiales. Ce qui a pour effet de clouer le bec aux commissaires-priseurs qui doutaient de ton talent, voire de ton existence ; les cons, ça ose tout ! J'en sais quelque chose. Il y avait des milliers d'acquéreurs dans la salle de ventes, rapportait la presse amsterdamoise. Et principalement une foule de femmes fortunées, belles et portant des vêtements signés par de grands stylistes. Elles marquaient l'événement d'une pierre blanche en louant les services d'un paparazzi qu'elles faisaient mine d'ignorer en public. On peut parier que ces femmes, pour la plupart, mettaient les pieds dans cette salle pour la première fois.

Ton tendre ami.

À M. Blanchard, mon prof de philosophie, je répondais du tac au tac. Cette discipline m'a embrasé de la tête aux pieds. La vie et la mort, la liberté et la responsabilité, le bonheur ou son absence, aucun sujet ne m'a paru abstrait et scolastique. Tout me passionnait. Je crois bien, Béa, que j'ai séduit M. Blanchard et mes camarades de terminale par ma curiosité et mon agilité conceptuelle. Les stoïciens, les hédonistes et les cyniques me tenaient compagnie. Socrate surtout, mon nouveau héros. Dans mon quartier, évoquer le maître de Platon était source de quiproquos. Mes anciens camarades de collège bifurquaient sur les exploits de Sócrates, le capitaine de l'équipe brésilienne. De nombreux aficionados, dont je fus, connaissaient par cœur l'interminable patronyme du milieu de terrain : Sócrates Brasileiro Sampaio de Souza Vieira de Oliveira. Tu comprends mieux Béa pourquoi tout le monde le désignait par un surnom.

Je ne devais pas me moquer de mes anciens amis. Ils avaient changé. Ou c'était plutôt moi qui avais beaucoup changé. Ça ne se voyait pas au premier coup d'œil. Normal tout ce qui est trop petit à l'œil nu comme les microbes nous cherchons à l'agrandir à l'aide d'outils comme le microscope. Tout ce qui est trop loin comme les nuages ou les étoiles, nous le rapetissons sur la feuille de papier millimétré. Nous appelons cela la connaissance. Nous passons des années sur un banc pour l'acquérir. Dans mon adolescence, certains ont pu l'obtenir sans passer par la case école. D'autres l'ont assimilée dans la rue parce qu'ils devaient survivre. Parce qu'ils avaient leurs proches à nourrir. Tous les garçons de mon âge ont été exclus de l'école très jeunes. Tous avaient désormais une famille à leur charge. J'en connaissais qui étaient partis bosser à l'abattoir. Je les rencontrais transportant des carcasses de viande pour les marchands qui les payaient en nature. Les abats se vendaient très bien dans nos quartiers. Ces garçons, que j'ai appelés les survivants, avaient une technique bien huilée : ils mettaient d'un côté les têtes et les pattes de mouton et de chèvre, de l'autre côté les têtes et pattes de bovin. Ils emballaient les deux lots et avant dix heures ils étaient de retour dans le quartier. Les matrones qui avaient passé leur commande la veille envoyaient les petites bonnes récupérer la viande toute frémissante. Les matins où je n'allais pas au lycée, j'aimais beaucoup regarder les bonnes qui découpaient, désossaient la viande. Pas facile de retirer les nerfs du premier coup, même avec un couteau bien effilé. Pas aisé d'arracher à l'os les bouts de viande.

Je ne voyais plus beaucoup Ladane qui s'occupait, en plus de ses tâches domestiques, de ma grand-mère désormais impotente. Je passais le plus clair de mon temps au lycée ou au CCFAR.

Socrate ou Sócrates, je ne comptais pas me moquer de mes anciens camarades de classe. C'était leur problème s'ils confondaient le philosophe antique avec le footballeur natif de Belém. Ils avaient hier raillé ma démarche. J'ai choisi de taire leur ignorance, de leur épargner mes moqueries.

Le trajet de la maison au lycée se déroulait souvent en bus. Il m'arrivait aussi d'aller à pied au lycée ou d'en revenir sans interrompre ma conversation intérieure avec Cicéron ou Marc-Aurèle. Leurs conseils ne m'ont jamais paru trop éloignés des conseils de ma grand-mère qui m'a appris à me battre. Oui, c'est bien Cochise qui, la première, m'a enseigné à ne pas me considérer comme un infirme.

Un handicapé.

Une victime.

Enfant j'ai contracté la poliomyélite.

Je ne suis plus ce gosse.

Je ne devais plus jamais me laisser définir par cette maladie ou par une autre.

Pourquoi la poliomyélite me définirait-elle et pas le rhume des foins, la grippe ou l'otite ? J'ai retenu de ma grand-mère que dans la vie tout n'est que mouvement. Je me suis rendu compte qu'Héraclite d'Éphèse ne disait pas autre chose. Les points de convergence ne manquaient pas. Je n'étais pas au bout de ma surprise. Un livre de philo à la main je traversais, à petits pas, deux ou trois quartiers avant de buter sur les grilles du lycée. Le soir, je rebroussais chemin. Pourquoi prendre le bus, Béa ? Socrate, Rousseau ou Kant aimaient marcher. Ils philosophaient en marchant. Je les imitais, j'économisais quelques sous. Arrivé à la maison, je retrouvais Cochise qui dépérissait sous mes yeux. J'en avais mal au cœur.

Quelques jours plus tard, ma grand-mère est morte. Je redoutais sa disparition comme nulle autre au monde. Non, on ne peut pas dire que je fus surpris. Le sol s'est dérobé sous mes pieds, Béa. Le suicide de Socrate m'avait marqué mais il ne m'avait pas touché au fond de mon cœur. Et je n'ai jamais eu les traits de Socrate imprimés sur la rétine. Je l'imaginais tel qu'il pouvait m'apparaître selon la légende. Un homme de taille moyenne, au cou de taureau, habillé d'une tunique blanche et qui avait pour habitude d'arrêter les badauds en plein centre d'Athènes. La Grèce antique, ce n'était pas la porte à côté. La douleur provoquée par la disparition de ma tendre Cochise ? Une autre paire de manches.

Grand-Mère est morte dans son sommeil.
Grand-mère Cochise n'est plus.
Pour moi, rien ne sera plus comme avant.

Elle était née une vingtaine d'années après l'inauguration du fameux canal en 1869. L'homme qui avait imaginé de creuser la terre à cet endroit stratégique pour relier la mer Rouge et la Méditerranée était un ingénieur français. Ferdinand de Lesseps. Je connaissais son nom parce que c'était le nom que les Français avaient donné au premier collège du TFAI. Selon ma grand-mère qui avait son calendrier à elle, les travaux de rénovation du port de Djibouti remontaient à la naissance de son dernier enfant mort en couches et qui aurait pu devenir mon oncle paternel si Dieu lui avait prêté vie. Personne n'en parlait en ces temps-là, soulignait ma grand-mère, mais le canal de Suez ne consistait pas en un progrès comme les journaux de Paris le proclamaient. Quel était ce progrès qui avait emporté des centaines de milliers de paysans égyptiens transformés en maçons et en terrassiers ? Quel était ce progrès qui avait arraché à la mer des tonnes de sable ? Quel était ce progrès qui avait amené des maladies nouvelles comme la dysenterie et le choléra ? Personne n'était content parmi nos ancêtres. Personne. Pis, à peine le premier bateau avait-il emprunté le tout nouveau canal que les Anglais et les Français ont gâché les festivités avec leur rivalité. Les troupes britanniques ont chassé les Ottomans et occupé l'Égypte. Puis, avant la fin de la Première Guerre mondiale, à laquelle participèrent des cousins directs de ma grand-mère Cochise, les Anglais et les Français se sont mis d'accord pour se partager toute la région. Ils ont signé les accords Sykes-Picot. Grand-Mère m'avait précisé que c'était Monsieur Picot qui les avait signés pour le compte de la France, Mister Sykes représentant la reine d'Angleterre. Bien sûr, ces accords étaient secrets et personne ne devait en parler, du moins à l'époque. Et surtout parmi nos ancêtres qui nomadisaient dans une vaste région le long de la mer Rouge et jusque de l'autre côté, en face de l'océan Indien où habitaient nos cousins de Somalie. Grand-mère Cochise n'a jamais ouvert un livre de sa vie car elle ne savait ni lire ni écrire, mais elle avait la mémoire d'éléphant des conteurs des temps anciens. Tout ce qu'elle avait entendu durant sa longue vie était stocké dans son disque dur, si bien que le jour où elle partirait par le fait du Seigneur ou de Satan ce serait un grand drame. Ce serait comme si toute la bibliothèque de mon quartier d'enfance partait en fumée. Quand Cochise avait entendu une anecdote, tu pouvais être certaine Béa qu'elle l'avait stockée soigneusement dans son cerveau.

Elle n'était plus qu'un filet de femme, presque un fantôme.

Un petit tas d'os, trente ou trente-cinq kilos à la louche.

Elle passait inaperçue, n'étaient ses grands yeux implorants.

Sa voix caverneuse, son visage serein, immobile, sans expression.

Surtout pas ce regard de pigeon fou des gens qui cherchent une issue, laminés par le combat intérieur qui se joue au creux de leurs tripes.

Un combat longtemps caché aux prochains, plus tenace qu'un refrain.

Elle n'est plus là et tout est gris et triste.

Comme promis, je t'ai raconté à mon tour, par bribes, les histoires que me racontait Grand-Mère chérie. L'histoire de la Côte française des Somalis comme celle du Territoire français des Afars et des Issas. CFS. TFAI. Ces sigles ont accompagné mon enfance même si j'étais trop jeune pour me relier directement au CFS devenu TFAI deux ans après ma naissance. À ses côtés, mon esprit gambadait dans les grandes prairies entourant le fameux canal. Mes rêves d'enfant étaient peuplés de gouverneurs, de missionnaires et d'explorateurs français comme Ferdinand de Lesseps ou Charles de Foucault. Le paysage de mon enfance est parsemé de croix de Lorraine, de képis de légionnaires. Il a pour arrière-fond les voix du général de Gaulle ainsi que celles de ses lieutenants dont tu n'as jamais entendu parler et qui avaient pour nom Messmer, Malraux, Debré ou Peyrefitte. Longtemps je suis resté dans le sillage de Cochise. Adolescent, je m'endormais au son de sa voix chuintante. J'aimais sentir son odeur musquée lorsqu'elle se penchait pour souffler la bougie. Mon petit cœur s'emballait lorsqu'elle me promettait de me raconter le périple de ses cousins engagés aux côtés des poilus lors de la Première Guerre mondiale. Mon statut d'enfant malade et fiévreux me donnait certains privilèges que je n'entendais pas laisser passer.

Grand-mère Cochise n'était plus de ce monde lorsque que trois semaines plus tard, j'ai obtenu mon bac philo. J'ai raté de cinq points la mention TB. Je m'en fichais comme de ma première culotte. Pour vaincre le chagrin, je me suis remémoré mes nuits passées sous la jupe de Cochise. Toutes les nuits de l'enfance et de l'adolescence, c'était la même ivresse, le même délice. Le même galop dans l'autrefois. Emporté par l'envie de raconter, Grand-Mère oubliait le temps qui filait entre nos doigts. À peine avait-elle repris son souffle que nous étions aux portes de l'aube. Elle s'écroulait sur sa natte de jonc et ronflait comme la motocyclette de ton grand-père Amine.

Grand-mère Cochise n'était plus là pour me prendre dans ses bras. Elle n'était plus là pour me féliciter avec ses manières rugueuses. Je suis parti en France poursuivre mes études. Je me suis fait la malle dès la fin de l'été 1985. J'ai laissé derrière moi ma mère et mes quatre frères et sœurs. J'ai laissé Papa la Tige secoué par la toux, les larmes dans les yeux. L'écho caverneux de ses quintes m'a hanté longtemps. Et je suis parti en abandonnant tous les souvenirs de mon quartier. J'étais égoïste. Je voulais sauver ma peau. J'ai tout laissé derrière moi, Béa. À tous, j'ai dit : « Ciao, ciao, ciao ! »

Je n'ai jamais aussi bien dormi que dans la semaine où je suis arrivé en France. Ce sommeil m'était précieux mais il avait un prix aussi. Les premiers jours je n'étais pas sorti indemne de mon lit, comme si des parts de moi restaient englués dans le sommeil. Comme si mon cerveau stagnait, macérant dans le brouillard, ignorant le lieu où il se situait. Nous étions au mois de septembre, l'allongement des jours malmenait ma boussole intérieure calée sur la ronde solaire qui, à Djibouti, achève sa course avant 18 heures. Cinq jours durant, j'ai nagé dans une indolence ouateuse d'où je parvenais à m'extirper pour y retourner aussitôt. Mes membres bougeaient avec lenteur ; les mots me manquaient, les sensations aussi. J'ai sauté les repas de mon plein gré. Plus d'une fois, j'ai raté les heures d'ouverture du restaurant universitaire. Il ne restait plus qu'à aller grappiller des yaourts et des bananes à la superette la plus proche de ma résidence universitaire.

Ma chambre d'étudiant à Mont-Saint-Aignan était propre, modeste, semblable à toutes les autres. Elle donnait sur un jardin entouré par des terrains de football et de tennis. La tempérance du climat normand, humide et océanique, bouleversait mon horloge biologique. Quelques jours, quelques semaines plus tard, je suis parvenu à m'acclimater. Je me suis lancé dans la vie frénétique des étudiants, passant de l'amphi au resto U, de la cité au terrain de sport. À Djibouti, les lycéens connaissaient, par procuration, les rites et le rythme de ce bouillonnement. J'en avais étudié des semaines avant mon départ pour Rouen chaque détail. Je n'étais pas déçu. L'harmonie villageoise de Mont-Saint-Aignan m'a sauté au visage. Passé le charme pittoresque de la vieille ville, le reste du paysage m'a donné l'impression d'une savane verdoyante zébrée de rails et de lignes à haute tension dans laquelle les amants d'un soir aimeraient se cacher.

Pour la première fois de ma vie, j'avais une chambre pour moi seul. Cloîtré dans cette chambre, je me réfugiais dans la rêverie et son corollaire, la lecture. Et comme par jeu, je me suis mis à coucher mes pensées sur le papier. J'écrivais surtout la nuit, quand la cité était silencieuse. Écrire était une obligation, une manière quasi biologique de respirer, de vivre par procuration, ce que je m'imaginais se dérouler à Rouen comme là-bas, à Djibouti. Je passais d'une période à l'autre, d'une rive à l'autre, sans effort apparent. Me glissant dans les méandres de mon imagination jusqu'au petit matin engourdi de sommeil.

Outre le lit et le petit lavabo, il y avait dans ma chambre rustique une table de travail pour moi et pour moi seul. Sous cette table de bureau, il y avait deux tiroirs. Le tiroir de droite accueillait mes exposés et dissertations à rendre aux professeurs. Celui de gauche mes brouillons personnels. Dans la journée, j'entretenais mon hémisphère droit. La nuit, je m'enfonçais dans les plis et replis de mon hémisphère gauche. Quand une idée me trottait dans la tête des semaines, je savais qu'elle méritait une petite niche dans mes friches nocturnes. À présent, je sais Béa qu'en me mettant à noircir des papiers je cherchais le terrain où poser la maison de mes rêves. J'élaborais des récits pour me rendre riche de tout ce dont on ne peut se passer. Tout ce dont j'étais déjà orphelin. J'avais quitté un pays et des proches. J'avais rompu surtout avec mon enfance. La nuit, à mon insu, mes larmes coulaient à la seule pensée des bruissements de mon quartier du Château-d'Eau.

Je révisais mes cours pour les examens de fin d'année comptant pour le DEUG quand j'ai appris la terrible nouvelle. Ladane s'était suicidée. Dans mon pays, les femmes acculées par le malheur s'ôtent la vie de la pire des manières : par le feu. Ladane avait commis l'irréparable. Personne n'avait pu la sauver. Je n'avais pas eu de ses nouvelles depuis que j'étais parti il y avait plus de deux ans. J'ignorais tout de son sort, Béa. Avait-elle été violée dans une ruelle obscure par une horde de légionnaires avinés ? Ses parents l'avaient-ils jetée dans les bras d'un vieillard à la tête de plusieurs familles ? Avait-elle été trahie par un prince charmant au petit pied ? Jamais je n'ai su sous quel visage le malheur s'était présenté à la bonne Ladane. Nul ne hissera pour elle le drapeau du mariage. Cette coutume qui n'est plus en cour dans les villages et les oasis reculés de mon pays était le rêve secret de toutes les jeunes femmes depuis que les marieuses se faisaient rares. On choisissait un drapeau rouge quand la promise avait moins de vingt ans, bleu jusqu'à trente et jaune au-delà. Le temps du drapeau rouge était celui de l'insouciance. L'oriflamme bleue était synonyme d'impatience mêlée d'inquiétude. Avec l'étendard jaune, on s'agrippait aux rails de l'espérance. Il y avait toujours quelque chose de particulier dans cette dernière zone d'attente. Les nuits de pleine lune les pactes se nouaient avec les djinns. Dans les conclaves mystiques, les femmes poussaient des airs déchirants soutenus par le jeu de tambourin. La préparation des amulettes, la magie des lampes à pétrole, les talismans en cuir de chèvre enterrés dans les maisons et destinés à « ouvrir » la matrice des femmes restées stériles, tout ce fatras de croyances, Ladane ne le connaîtrait pas. Elle ne testerait pas les formules aptes à redonner de l'ardeur aux maris, à les ramener dans la couche auprès de leurs épouses excisées depuis leur adolescence. Elle ne réciterait pas des prières en vue d'arrondir son ventre ou de précipiter sa progéniture dans le monde invisible des ancêtres, endormis dans le sanctuaire à l'orée du village. Elle ne se dessécherait pas comme ma tante Dayibo qui multipliait les consultations chez la cartomancienne, pour s'entendre prédire invariablement un événement heureux. Ton foyer bruissera, pronostiquait la devineresse, des cris de joie d'un loupiot joufflu.

Je n'ai jamais su, Béa, ce qui avait poussé Ladane à s'ôter la vie. Elle avait vingt et un ans. Si j'étais sculpteur, j'aurais modelé la silhouette de Ladane. Elle aurait un seau à la main droite, un enfant sur le dos, du fagot sur la tête. Elle serait enceinte de sept mois. Elle aurait une foule de gamins qui lui donneraient d'autres gamins. Elle serait centenaire.

Ils m'appelèrent Jack Lang.

Les étudiants djiboutiens, ceux que je fréquentais à Rouen comme ceux que je croisais à Paris, n'avaient rien perdu de leur humour mordant. Très vite, ils m'ont trouvé un surnom à la fois flatteur et caustique. D'une part, ils reconnaissaient mon penchant littéraire et artistique. Le flamboyant ministre de la culture de François Mitterrand n'était-il pas devenu aux yeux de tous, en France et à l'étranger, le meilleur ambassadeur de la culture et de la langue françaises ? De l'autre, par un jeu de mots translinguistique savamment dosé, ils soulignaient ma différence. *Langaareh*, dans ma langue maternelle, le somali, signifie le boiteux. Me voilà artiste et boiteux.

Le surnom m'a suivi lorsque j'ai quitté les bancs de la fac. Marié, père de deux garçons, j'étais enseignant le jour et écrivain la nuit. Mes anciens amis me voyaient de loin en loin. Ils m'entendaient à la radio ou à la télé parler de mes livres. L'évidence sautait aux yeux, j'étais devenu un animal étrange. Une silhouette, un nom. Des livres. Des voyages. Pas de doute, pensaient-ils, je n'étais plus tout à fait comme eux. J'étais devenu un autre. Je méritais mon surnom, ils s'en félicitaient.

Jack Lang donc.
Et parfois simplement Jack.
Je n'avais pas le choix.
Je l'ai accepté, ce nouveau manteau,
avec philosophie.
Et fierté aussi.
J'étais devenu un caméléon,
d'ici et d'ailleurs.
Marchant et dansant,
dansant et amusant la galerie,
un étrange animal.
Janus inspiré et imprévisible,
toujours plus remuant.
Africain un jour et Français le lendemain.
Normand par surcroît.

Pourquoi tu danses quand tu marches ?

Jack Lang donc.

Jack le flamboyant, Langaareh le boiteux.

Il y a mieux, l'écriture : ma patrie.

Mes livres : mon passeport.

Labeur des jours, labour des nuits.

La plume a déchiré les masques qui voilaient ma silhouette.

J'ai largué mes amarres.

Plus rien ne m'arrêterait.

J'ai rencontré ta mère Margherita six ans avant ta naissance. C'était à Rome, la ville des amours éternelles. J'avais tout juste quarante ans. J'étais fringant et j'avais déjà écrit plusieurs romans. Ta mère était, Béa, si belle qu'on l'aurait dite sortie tout droit d'un tableau de Raphaël, mais rassure-toi elle reste aujourd'hui aussi splendide qu'au premier jour. J'entamais la tournée promotionnelle de mon quatrième roman traduit dans la langue de Dante. Je devais rencontrer la presse, donner une lecture publique dans le cadre d'une série de rencontres intitulée « Lire l'Afrique » avant de me rendre à Bologne et Turin.

Ma rencontre avec Margherita eut lieu dans une toute petite librairie dédiée aux littératures et arts du continent africain que ta mère avait eu la bonne idée de créer avec le concours de quelques amies. Tu sais déjà tout ça, me diras-tu, Béa. Mais ta *mamma* n'a pas pu ou su te révéler que derrière le prétexte artistique de Libreria Ebano se cachait une autre raison plus prosaïque : occuper Carlotta, ta future grand-mère fraîchement retraitée et si encline au spleen. Carlotta maudissait la vie romaine trop harassante à son goût. Elle n'avait pas tort, tu le sais. Discuter avec un chauffeur de taxi suffit à ruiner la réputation de la cité papale. Mille blagues sur les Romains circulent en Italie. Elles tournent en ridicule ces braillards impatients et grossiers. On rit de tout au sujet des Romains, à commencer par leur saleté. Ma blague préférée a l'allure d'une énigme. Je te la livre *verbatim* :

Qui est plus inutile qu'un éboueur à Rome ? Einstein au pays des charlatans. À partir de là, les blagues s'enchaînent comme les perles dans un collier. Qui est plus dévot qu'un Romain ? Un autre Romain, pardi !

Carlotta a fini par quitter Rome pour Milan qui a vu naître Margherita. Nous nous y rendons aussi souvent que possible. Dès ton plus jeune âge, nous avons beaucoup voyagé afin que tes goûts et ta curiosité puissent entrer en résonance avec la diversité et les mystères du monde. Nous t'avons donné tôt un esprit vagabond. Te souviens-tu de David et Abigail, ce couple de chercheurs bostoniens qui avaient séjourné chez nous quand tu avais cinq ou peut-être six ans ? Tu étais attachée à eux. Dès le premier jour, tu leur as fait un sacré numéro de charme, devenant complice en si peu de temps. À peine leurs bagages posés, tu les avais bombardés de questions sur leurs habits, leur pays ou leurs habitudes alimentaires. Il y a des êtres, Béa, qui se retrouvent ébranlés par la réalité des autres, leur façon de parler, de se tenir à table, d'allumer une cigarette. Il y en a d'autres qui observent le monde d'un œil détaché. Pas de doute, tu fais partie du premier cercle. Tu les avais bien accueillis nos amis étatsuniens. Tu t'étais montrée enjouée et taquine comme lorsqu'une de tes copines venait dormir à la maison. Parfois ils s'étaient tus parce qu'ils n'avaient pas su quoi te répondre. Quand tu leur avais demandé s'ils m'avaient vu à vélo dans les rues de Boston où j'avais séjourné deux semestres juste après avoir rencontré ta mère, leur silence s'était fait plus pesant. Tu avais fait mine de n'avoir pas remarqué leur gêne. Et tu étais revenue *diretto* à la charge comme si de rien n'était. Les Américains sont très doux, surtout avec les enfants. Toute la semaine, ils avaient écouté tes questions avec attention, te soufflant les mots d'anglais qui manquaient à ton vocabulaire de vilaine petite fille. Ta mère et moi, nous avions noté leur désarroi. Depuis les fourneaux, Margherita tendait discrètement l'oreille tout en pelant de succulentes tomates siciliennes. Et moi, je ne voulais pas m'immiscer dans votre conversation. Je me contentais de mon rôle d'hôte d'abord, de guide ensuite. Je tenais à leur faire visiter les nouveaux lieux parisiens, de Saint-Ouen aux friches de Bercy. Je dois t'avouer que tu m'avais pris de court. Je n'avais pas imaginé une seule seconde que tu allais t'enquérir de mes compétences de cycliste. Tu voulais savoir s'ils m'avaient vu pédaler dans la banlieue de Boston. Je peux t'apporter la réponse qu'Abigail et Dave n'avaient pu te donner. Cette réponse est non. Tu ne pouvais pas en avoir le cœur net à cinq ans. Ta curiosité était naturelle. De plus, tu ne m'avais jamais vu ni à vélo ni en trottinette. Ni sur une piste de ski. La réponse, tu la connais désormais. Non, je ne sais toujours pas monter à vélo et je n'ai jamais eu le courage de m'aventurer sur un skateboard. La polio qui a affaibli ma jambe droite à l'âge de sept ans m'interdit toutes ses pratiques. Elle m'a légué en prime cette démarche chaloupée. Je ne sais pas faire du vélo. Mais j'aime danser. Étudiant à Rouen, il m'arrivait de guincher devant la vitre du hall de ma résidence, un peigne planté dans ma coupe afro. Je me déhanchais en faisant fi des regards, au rythme de la plainte épaisse d'Otis Redding ou des miaulements de Michael Jackson.

Oui j'aime danser.
Alors je danse.
Je danse même en marchant.
Sans préméditation.
C'est une seconde nature.
C'est ma signature.

Trois nuits durant, Abigail, Dave et moi avions écumé les boîtes de nuit et les salles de concert. La dernière nuit, juste avant leur départ à l'aube pour l'aéroport de Logan, nous avions fait la tournée des grands ducs. Sur une péniche transformée en boîte de nuit, nous avions eu le privilège d'admirer des femmes-lianes qui défilaient devant nous. Plus belles les unes que les autres. Juchées sur des chaussures de geisha qui leur donnaient l'allure d'ibis montés sur ressorts. Je te parle de l'ibis, Béa, parce que tu adores cet oiseau royal depuis que tu l'as découvert, enfant, dans le parc animalier de la Porte de Vincennes. Après la fermeture de la péniche, nous avions pris un taxi pour un dernier tour de piste. Là, nous avions dansé encore et encore, sautant en l'air comme de sales gosses quittant le préau le dernier jour de l'année scolaire. Dans la cohue, les mots d'excuse étaient inutiles tant la musique électro couvrait les bruits, isolait la salle de concert du quartier de la Bastille tout alentour. Stromae n'avait pas eu besoin de nous inviter à danser. Dès que nous avions reconnu les premières mesures de son tube « Alors on danse », nous nous étions lancés sur la piste pour ne pas la quitter.

Nul besoin d'encouragement.
Je danse en marchant.
Je marche en dansant.
Ça dure depuis plus de trente-huit ans.
J'ai accepté pleinement ma démarche chaloupée.
Je me trouve, pour le dire avec les mots de Stromae, formidable.
Formidable, et surtout pas minable.

Au milieu de la foule, je n'avais d'yeux que pour la chorégraphie de Stromae. Je connaissais chaque pas, chaque coup de reins, chaque mimique du maestro moitié rwandais moitié flamand. Je vais te livrer une dernière confidence, Béa. J'avais rencontré Stromae à Rio, deux ou trois ans plus tôt, et entretenu une petite relation épistolaire que tout le monde considérerait flatteuse pour moi. Stromae m'avait fait l'amitié de m'envoyer un carton d'invitation depuis Bruxelles. Cet artiste fantasque est un homme de parole. Il m'avait promis qu'il m'inviterait dès qu'il serait de nouveau à Paris. Et il avait tenu parole.

Les œillades des gazelles n'avaient aucun effet sur mes amis et moi. Nous étions là pour suer sang et eau, danser jusqu'au petit matin. J'ignore si Stromae nous avait vus. Nous avions dansé comme des fous, ma petite bande et moi. Notre ferveur avait décuplé lorsque Stromae avait demandé à la foule quel morceau elle voulait entendre. Comme un seul homme, la foule avait crié : « Papaoutai ». Ce morceau a une valeur de talisman. Il ouvre les cœurs et réunit les parents et leur progéniture. Bien sûr, le public a repris la chanson *a cappella*. Tout le monde en connaissait les paroles. Je sais Béa que toi aussi tu adores cette chanson. Dès que j'étais en déplacement, tu me la chantais *via* Skype. En dansant sur la piste, encouragé ou non par Stromae, j'ai pensé à toi mon trésor. Je t'avais dans la peau, ma petite choupette !

Pourquoi tu danses quand tu marches ?

Où est ton papa ?
Dis-moi où est ton papa ?
Sans même devoir lui parler
Il sait ce qui ne va pas
Ah sacré papa

J'étais fou de joie, vociférant avec le public surchauffé. David et Abigail étaient aux anges aussi. Nous avons tellement applaudi que nos mains restèrent ankylosées un long moment après la fin du morceau.

Soudain, j'ai eu une pensée pour mes parents. Les traits de ma mère se sont précisés sur ma rétine, comme une photo argentique tout juste tirée de son bain. Je crois qu'elle m'encourageait à applaudir de plus belle. Hiératique, mon père gardait le silence en me fixant de ses yeux délavés de petit vieux. Notre échange non verbal s'est étiré, gagnant en épaisseur. À ses côtés, j'ai reconnu ma grand-mère Cochise et ma tante en conciliabule. Elles me bénissaient, je crois. En retrait, Ladane était là aussi. Lumineuse. Elle m'a fait un clin d'œil, puis elle a envoyé une gerbe d'ondes positives, pour utiliser une de tes expressions préférées. Dommage que Margherita et toi, vous n'ayez pas pu être témoins de mon émotion à cet instant. Vous dormiez à poings fermés. Margherita en position fœtale, et toi entourée de tes deux doudous de cette époque – des éléphants aux oreilles obamesques.

J'ai dansé une sarabande avec mes parents.
Leur amour a dissous ma crainte antique.
Durant quatre décennies la peur m'a tenu la chandelle.
Il était temps qu'elle me lâche.
Et voilà que je lâche les amarres.
Que je me confie au courant de la vie.
Je ne suis plus le boiteux.
Le maigrichon.
Le pleurnichard.
Je suis un nouvel Aden, souriant de toutes ses dents.
Droit dans ses bottes de sept lieues.
Une jambe moins arrimée au sol que l'autre, qu'importe.
Personne ne remarque ce détail quand je parviens, moi, à le mettre au second plan.
Je danse en marchant.
Je marche en dansant.
Alors je danse.
Alors on danse.
On danse, on danse.

De retour au petit matin, nous avons pris des précautions de Sioux pour ne pas écourter votre sommeil. Dans la salle de bains, j'ai convoqué une dernière fois mes vieilles amies qui m'ont bercé dans leurs bras toute mon enfance. Je veux parler de la fièvre, de la douleur, de la colère, de la tristesse et tous les autres états dans lesquels je me jetais comme un plongeur en quête d'épaves. Je les ai bercées dans mes bras vigoureux. Je les ai bercées une dernière fois, avec douceur. Je leur ai dit avec fermeté : « Voilà, c'est la fin de votre ronde. Oubliez-moi. Et maintenant, partez ! » À cet instant-là, j'ai agi comme Dorothy, la petite héroïne du *Magicien d'Oz.* Te souviens-tu de l'histoire de la petite bande de Dorothy qui emprunte une route de brique jaune pour atteindre la Cité d'Émeraude ? Et une fois franchie la porte, à l'intérieur, il y a ce monstre terrifiant, mais en fait c'est juste un type caché derrière un rideau. Pour moi aussi, à l'orée de la quarantaine, la vérité a éclaté au grand jour, et je me suis rendu compte que mes angoisses, mes colères et mes rancœurs n'avaient pas plus de consistance que le pauvre type qui, derrière son petit rideau, avait terrorisé Dorothy et ses amis.

Après ma longue nuit de cris, de sauts, de twists, de coupés-décalés et de pogos au milieu de la foule endiablée de la salle de concert, je me sentais frais comme un gardon. Et le lendemain, le dimanche donc, très tôt j'ai enfilé mes chaussures de sport. J'ai dévalé le quartier à une allure ni trop lente ni trop rapide. Les seules personnes que j'ai croisées portaient les insignes de la voirie de Paris. Juchées sur des camionnettes d'un vert pimpant, elles débarrassaient le trottoir des détritus à grands coups de jet d'eau. J'ai éprouvé une franche reconnaissance, Béa, pour ces hommes levés aux aurores pour assurer notre confort et notre hygiène. J'ai repris mon souffle à l'angle du boulevard Magenta. J'ai aspiré un bol d'air, et soudain une odeur de pain et d'amande grillée a affolé mes narines, puis mes neurones. La boulangerie de la rue Saint-Laurent venait d'ouvrir ses portes, d'accueillir son premier client. J'ai été le suivant. Croissants et baguettes sous le bras, j'ai repris mon chemin. Au trot, cette fois. Quand je suis rentré, tu dormais. Et quand je suis ressorti de la salle de bains, rasé, habillé et parfumé, tu dormais toujours. J'avais posé les croissants et le pain sur la table de la cuisine. Surtout pas de bruit. David et Abigail étaient partis *diretto* à l'aéroport. J'ai lu le mot d'adieu qu'ils avaient laissé. Je me suis assis, un grand verre d'eau à la main, tentant de retrouver mes repères. J'avais la tête à l'envers. Une basse continue résonnait dans ma tête. J'avais des courbatures dans le dos. Des images me revenaient en boucle. Des cabrioles et des déhanchements en compagnie de Stromae, les jambes bien collées au sol ou carrément en l'air. Ses refrains vrillaient ma caboche.

J'ai pris mon petit déjeuner en silence, soucieux de ne pas provoquer le moindre bruit de vaisselle. Votre sommeil m'était précieux, Béa, même si ta mère, Margherita, a l'air parfois d'en douter. Elle prétend que je fais souvent plus de raffut qu'un éléphant dans un magasin de porcelaine.

J'ai pris ensuite le métro, direction Bastille. Non, je te rassure Béa, je ne suis pas retourné danser. La salle de concert devait être fermée à cette heure-là et les membres du groupe de Stromae devaient ronfler quelque part, dans un hôtel pour VIP. J'ai pris le chemin de mon salon de massage thaï. Les masseuses ont fait courir leurs doigts agiles sur mon dos, ma poitrine, mes jambes et même sur les os de mon crâne. Elles me rappellent grand-mère Cochise, pour peu qu'elles me sourient. Le rire de ma grand-mère me manque. C'était une cascade d'eau fraîche qui réjouissait et désaltérait en même temps. J'ai toujours désiré prolonger mon tête-à-tête avec ton arrière-grand-mère, mettre à profit ses histoires et ses maximes empreintes de sagesse. Une fois dans la pénombre du salon je n'ai pu réprimer cette pensée. Les masseuses m'ont fait penser à mon ancêtre. Elles maîtrisent sur le bout des doigts l'art de réveiller le sang qui s'endort au point de s'alourdir comme le mercure. Quand je suis sorti du salon, je me sentais heureux. Heureux et en paix. Une paix intérieure parvenant à s'éprouver de l'extérieur. Si je me suis remémoré mon passé, si je me suis remis à sillonner une dernière fois les ruelles de mon enfance, c'était pour partager avec toi mon hier et son lot d'interrogations et d'angoisses. J'espère que tu es désormais apaisée comme moi. Quand je serai vieux à mon tour, j'aimerais que tu viennes me raconter par le menu tes peurs d'enfant. J'aimerais arborer une tête de vieux sage et serein.

J'aimerais afficher le front dévasté de rides de ma grand-mère,
le corps sec de mon père,
la peau fripée de Maman courte sur pattes,

qui recèle la sensualité que transmettent les pavés des vieilles villes,

glissants à force d'être polis par les pas pressés des pèlerins,

des pas agiles,

des pas vivants,

des pas dansants, Béa, bien entendu.

Remerciements

J'adresse mes affectueux remerciements aux femmes qui ont su me choyer pendant les jours sombres ou lumineux de l'enfance.

Et j'adresse mes vifs remerciements aux rampes d'escalier d'immeuble, du métro et d'ailleurs.
Sans oublier les escalators.
Et les ascenseurs.

CET OUVRAGE A ÉTÉ COMPOSÉ PAR PCA
POUR LE COMPTE DES ÉDITIONS J.-C. LATTÈS
17, RUE JACOB, 75006 PARIS
ET ACHEVÉ D IMPRIMER PAR DUPLI-PRINT (95)
EN DÉCEMBRE 2020

N° d'édition : 07– N° d'impression : 2020121025
Dépôt légal : août 2019
Imprimé en France